anny19.93 Прямо в точку.

katia_ Зачиталась, сгорел... версию? Теперь этот отры...

marul_miya Главное, не читать ночью.

rawvanlifetravel Меня интригует и пугает одновременно шлейф неуловимого. Я знаю, что он здесь. Вот сейчас резко развернусь и поймаю наглеца за хвост. Но и в этот раз только легкий бриз и мысли о мифической границе между мирами, в которых копия меня наблюдает за мной из-за плеча.

zlata_ Да ну вас. Прям жуууть какая. Прикольно получилось.

_your_own_ Мурашки.

irina_ariadna_ Давно искала нормального автора ужасов. Кажись, нашла.

galina_ Мне нравится динамика написанного. Читать интересно, а меня сложно заинтересовать. Браво!

grinblat_ Очень круто.

elena_ Очень понравился стиль изложения. С удовольствием прочитала, завораживает. Тысяча вариантов почему так происходит, но в конце... Вот это и есть творчество которое проникает во внутрь... Каждый задумается о своем.

malvina_ Образность затмила. Можно сказать, вы на пути к статусу «злого гения».

julia_ Ого, вот это история. Хоть и печальная.

kris_ Мне напомнило Стивена Кинга, он тоже умеет описать что-то так, что невозможно оторваться.

innesa_ Прикольно. Я уж внимательно серьезно вчитываюсь.

rawvanlifetravel Ха-ха. Шикарное повествование с тонким не пошлым юмором. А будет продолжение? Реальность, в которой фантастика кажется не менее реальной. Погружаешься с головой, ты - главный герой.

ЭГО МАНЬЯКА

АЛЕКСАНДР БАРР

ОДНА В ПУСТОЙ КОМНАТЕ

МОСКВА
2021

УДК 821.161.1-312.4
ББК 84(2Рос=Рус)6-44
    Б25

Барр, Александр.

Б25   Одна в пустой комнате / Александр Барр. — Москва : Эксмо, 2021. — 288 с. — (Эго маньяка. Детектив-психоанализ).

ISBN 978-5-04-116817-9

Знаете ли вы, что нашей мимикой управляет более пятидесяти лицевых мышц? И если научиться напрягать и расслаблять их по своему усмотрению, то можно полностью избавиться от морщин или убрать двойной подбородок, выровнять нос, увеличить губы... Да все, что угодно! Можно изменить себя до неузнаваемости и стать совершенно другим человеком — ребенком, женщиной, стариком...

Аркадий овладел этим искусством в совершенстве — в считаные секунды он может превратиться в кого угодно. Он всего лишь хотел стать похожим на Чарли Чаплина. А его обвиняют в серии жестоких убийств. Его любимая Рита, непостижимая, загадочная, сотканная из тайны и красоты, часто пропадала по ночам. И тогда он понял: маньяк — это она. Это она медленно убивала людей, наслаждаясь их мучениями, и с каждого убитого срезала лицо. Но как трудно доказать это следователю и психиатру!

Надо дождаться, когда Рита останется одна в пустой комнате. Чтобы никто не видел, как Аркадий приближается к ней. Чтобы никто не узнал, как он любит ее...

УДК 821.161.1-312.4
ББК 84(2Рос=Рус)6-44

ISBN 978-5-04-116817-9

* * *

— Смелее. Просто начни говорить. Рассказывай все, что помнишь. Не торопись. Спокойно и во всех деталях.

Он, словно психиатр, внимательно смотрит на меня, ловит каждое мое движение, каждый вздох, каждый взгляд. Он не знает, как лучше ко мне обращаться — на ты или на вы. Он следит, оценивает, нервничаю ли я, а я замечаю, как он одергивает руку, чтобы не покрутить кольцо на безымянном пальце. Он перекидывает ногу за ногу и ждет, что же я скажу. Он копирует поведение и дружелюбную интонацию врача, но в его взгляде есть что-то холодное, отталкивающее, и я прекрасно знаю, что он — фальшивка. Пустышка. Никчемный подражатель.

— Можно уточнить? Вы меня подозреваете?

Поддельный психиатр улыбается. Пристально смотрит и ждет. Он ничего мне не отвечает, но я понимаю, что да, сейчас я главный подозреваемый.

Остальные смотрят на меня, словно уже и слушать нечего, словно вина доказана, я и есть тот самый убийца.

И что я им должен поведать? Я сам знаю не больше их. Только то, что увидел по телевизору. И никаких особых деталей не припомню. А то, что помню о последних событиях, они и без моих слов знают из новостей. Но они ждут. А значит, я должен говорить. Что угодно, только не молчать. Что угодно, лишь бы они поняли, что они допрашивают не того.

Делаю глоток воды и начинаю рассказ с самого начала. С момента знакомства с Ритой.

* * *

Я помню себя фрагментами. Это не болезнь, и это не заразно. Память у меня вполне себе хорошая, можно сказать память что надо. Просто я стараюсь не загружать голову ненужными деталями. Какие шорты я носил в пятом классе? Как звали первую любовь? На каком курсе университета и по какому предмету завалил экзамен и вылетел? О своем прошлом помню скорее из рассказов окружающих, чем из личных переживаний.

Есть я, нет меня...

Думаю, я не был долгожданным ребенком. Не то чтобы неблагополучная семья, или меня кто-то избивал, нет. Не издевались. Но и особо не любили. Не ждали меня. Наверное, и специально избавляться от зародыша никто не собирался.

— У вас будет ребенок.

— Хорошо, спасибо за информацию.

Вероятно, случайность. Просто так вот вышло. Так случилось — в этом мире появился я.

Сейчас мне достаточно лет, чтобы не обращать внимания на несправедливость или на удачу, неожиданно сваливающихся как снег на голову. Все идет своим чередом. Идет как идет. Плевать.

Каждое утро передо мной в зеркале отражается довольно приятной наружности человек. Окружающие обращаются к нему Аркадий.

— Привет, Аркадий, — зовет коллега.

Аркадий оборачивается, смотрит приветливо и отвечает дружелюбной улыбкой.

Аркадий отвечает, а я нет.

Признаться, удобная маска этот «Аркадий», если хочешь спрятаться от всего мира. Он сильный и полезный. Он делает много вещей, которые лично я бы не стал ни за какие деньги. Все самое неприятное. Делает уборку, например, ходит на работу, говорит с людьми, даже зарядку по утрам делает. Аркадий делает, а я нет.

Его окружают одинаковые, со всех сторон одинаковые люди. Они лишь твердят о своей уникальности. Их маски, вместо «Аркадий» подставь любое имя, возможно, чем-то незначительным и отличаются. А уникальность в чем? Во внешности, способностях или предназначении?

В тесном городе, бок о бок, с такими же уникальными, как я сам, жителями, в тугой связке отрицаемой зависимости друг от друга, мы в красочных масках строим будущее, в котором с полной отдачей продолжат наше правое дело более проворные и, хотелось бы на это надеяться, более интеллектуально развитые потомки.

Я сгружаю в тачку материалы, вытираю грязным рукавом пот со лба и везу тележку по стройплощадке.

Терпеть не могу утро. По многим причинам... И основная из них — утро, значит, до вечера еще далеко. Значит, для Аркадия работы еще много, значит, у меня полным-полно времени загонять себя в депрессию, рассуждать о высоком и катать загруженную до краев телегу.

Философ-неудачник.

Под палящим солнцем, под проливным дождем, по грязи, по снегу... Разницы нет. Аркадий вкалывает.

Каждое утро означает — вечер еще ой как не скоро.

Помимо прочего, терпеть не могу утро, потому что в памяти еще свежо, как бездарно провел прошлый вечер, отсиживая задницу на старом выцветшем, когда-то синем, диване с неудобным подголовником. Давно, когда только увидел этот диван в магазине, еще подумал, какой же он отвратительно неудобный. Но форма удачно вписывалась в интерьер. И он синий. Тогда решил, что привыкну, со временем приспособлюсь. И купил.

Смотрю на бесконечную красно-рыжую гору, которую к обеду я обязан перетаскать, и думаю, если вот эта груда кирпичей однажды заговорит, то, наверное, первая мысль, что проскребет оранжевый язык — как многообразен наш род. Все такие разные. А я, самый особенный, талантливый и недооцененный кирпич из всех.

Катаю тачку и отпускаю воображение на волю. Представляю первобытное общество кирпичей, их первобытный строй. Всякие кирпичные палки-копалки, шкуры съеденных мамонтов или чем бы они там питались.

Сначала зародится кирпичная цивилизация. Чуть позже, найдется с десяток брусков из обожженной глины, которые чья-то безразличная рука установит ближе к крыше. Они станут сочинять и выкрикивать лозунги. Убеждать остальных в своем праве руководить всеми. Объяснят свое право исключительным происхождением и развитием.

Некоторые кирпичи согласятся, другим станет безразлично, будут и те, что воспротивятся, возможно устроят бунт.

Бунт.

Я огорчаюсь своим же мыслям.

Даже бездушные кирпичи рано или поздно начинают протестовать. Они бы не стали работать за гроши на этой проклятой стройке, с необразованным начальником алкашом. Нет, они не стали бы смирно сидеть вечерами в одиночестве перед телевизором, разминая время от времени затекшую от неудобного подголовника шею.

Камни от фундамента станут стремиться лечь повыше.

Какой-то кирпич расколется надвое. Его тотчас поместят в утильную кучу. К таким же, кто не выдержал груза конструкции и сломался.

Найдутся и такие, кто сам отколет от себя кусочек и добровольно дезертирует на дно. Сломленные организуют свое маргинальное сообщество, выдумают себе новые идеалы и убеждения. И тоже сгниют. Испортятся от сырости и тепла, как и прочие, но удовлетворенные. Сгниют с мыслью, что они умнее, хитрее других и сделали все, что могли.

Честно признаться, я бы тоже не смирился, будь я кирпичом. Им проще. Им нечего терять... Я бы ни за что не стал бы молчать и в стене таких же как сам ждать неминуемого конца.

— Везет вам. — Я обращаюсь к кирпичам на своей повозке. — Вы не мыслите и не видите, что происходит вокруг.

— Можешь перейти ближе к делу? — перебивает меня поддельный психиатр. Он удостоверяется, что не обидел меня своей фразой. — Если, конечно, ты считаешь важным рассказать нам о кирпичах — продолжай. Но нам бы хотелось услышать о той девушке.

— Рита. Ее зовут Рита.

— Да-да. Расскажи о ней.

Все присутствующие, не исключая фальшивого психиатра, уверены, что Риты не существует, что я ее выдумал, что я и есть маньяк. Притворяются, что верят моим словам, но я же не дурак... Все понимаю... В их глазах, в их лицах я могу прочитать ненависть.

Уверен, что не смогу их переубедить, но продолжаю рассказ.

Говорю, что с Ритой мы познакомились совершенно случайно. Я возвращался домой.

Светило полуденное солнце, майка на спине намокла и прилипла. Штаны из плотной джинсы окаменели. Носки в тяжелых ботинках напитались потом, и при каждом шаге нога проскальзывала в разношенной, плохо зашнурованной обуви. Несмотря на липкость и соленость, я в прекрасном настроении и с дурацкой улыбкой на лице шел пешком домой. Шел и помахивал грязными по локоть руками.

Рита, тогда я еще не знал, что ее так зовут, пела на улице какую-то забавную песню про котов. Перед ней на асфальте стояла коробка, в которую набросали мелочи, а в руках Рита держала странную трещотку вроде маракаса. Она двигала самодельным музыкальным инструментом и напевала.

Красивый у нее голос. Я заслушался, остановился и опустил в коробку несколько купюр.

— Спасибо, красавчик, — сказала Рита, вернее, весело напела в рифму своей песни.

— Прошу прощения, что снова перебиваю, — говорит фальшивый психиатр. — Не так давно мы выяснили, что ты работаешь с утра и до позднего вечера. А сейчас, судя по рассказу, в понедельник в полдень, ты встречаешь Риту. Или я что-то не так понимаю?

Он уверен, что подловил меня. Уличил во лжи. Он думает, что я запутался, что он ухватился за ниточку и сейчас без труда распутает клубок.

Поддельный психиатр старается скрыть от меня радость и аккуратно поглядывает на присутствующих, мол, смотрите, как профессионально сработано. С первых секунд вывел на чистую воду.

— Я в тот день стал безработным.

Развожу руками и делаю глоток. Стакан наполовину пустеет и мне тут же доливают до полного.

— Как это произошло? Ты что-то не выполнил? Может, на кого-то напал? За что тебя уволили?

Фальшивка хочет, чтобы я поверил в его искреннюю заботу. Он делает такое грустное лицо, с таким участием и сочувствием смотрит, что становится даже как-то не по себе.

— Я сам уволился.

Похоже, такого ответа он не ожидал. Он делает пометку у себя в журнале, но я знаю, это лишь уловка. Он пытается усыпить мою бдительность. Ищет новый способ, как заманить меня в ловушку.

— Расскажи подробнее. Что послужило, что стало причиной? — Он опять смотрит по сторонам, мол, смотрите, сейчас выведу на откровения.

Мне трудно сдержать улыбку, наивный, я читаю этого лжепсихиатра, как букварь, как дважды два, господи, какой же он все-таки наивный.

— Я с этого и начал. Помните, кирпичи? Вы не стали слушать, я же хотел все по порядку рассказать...

Он улыбается. Хочет скрыть раздражение. Теперь я перед всеми ткнул его носом в его нетерпеливость.

Он двигает рукой — продолжай.

— Я сам уволился. Это мой бунт. Мой кирпичный бунт. Понимаете?

Фальшивка кивает.

— Просто подошел к начальнику, сказал, что с меня хватит, и уволился ко всем чертям.

— Ладно. — Он соглашается и все еще машет головой, мол, сейчас все встает на свои места. Сейчас он понимает.

Но он понимает не то, о чем я говорю, а только то, что подробностей от меня уже не дождется.

— Продолжай, пожалуйста. Ты встретил девушку на улице, она пела.

— Рита! Ее зовут Рита.

— Хорошо, Рита, мы запомнили. Что было дальше?

Да какая разница, что было дальше? Меня больше заботит, как мне убедить собравшихся в том, что Рита есть, что она существует, что сейчас, пока эта непрофессиональная пустышка в белом халате мило беседует со мной, Рита где-то планирует новое убийство.

Я пью. Делаю несколько больших глотков, стакан наполовину пустеет и его тут же наполняют до краев. У меня не пересохло в горле, мне просто интересно, насколько качественный здесь сервис и как долго будут со мной церемониться.

Она назвала меня красавчик, мне это понравилось, и я улыбнулся. К своему удивлению, я улыбнулся ей вместе с Аркадием. Я почувствовал, что-то такое, чего раньше за собой не замечал. На какой-то момент, на совсем короткий, но я стал одним целым. Целостным, если хотите. Я и Аркадий слились. Может, так повлияло на меня спонтанное увольнение, может, встреча с милой девушкой, не знаю. Но я, наверное, впервые за свою долгую и безрадостную жизнь почувствовал себя целым.

Маска Аркадия исчезла, испарилась, растворилась в воздухе, вместе с последним аккордом песни про котов.

— Понравилось?

Я не нахожу правильных слов, просто киваю и продолжаю хлопать.

— Хочешь, я еще спою? Только для тебя.

Я спросил, может ли она исполнить что-нибудь из роллингов или битлов, на что она засмеялась и начала петь неизвестную мне до тех пор песню про бездомного паренька. Я раньше такую не слышал, думаю, Рита сама ее сочинила.

Она закончила, я опустил в коробку еще несколько купюр.

— Ты знаешь, Чарли, ты очень благодарный слушатель.

Она смеется, прячет крупные деньги и забавно имитирует движения Чарли Чаплина.

Да, мне уже не раз говорили, что я чем-то на него похож. Может, вечно усталый Аркадий со своей замученной неуклюжей походкой создавал такой образ? Не знаю. Но я даже подумывал трость купить, чтоб усилить схожесть. Но потом решил, что моя маска станет еще нелепее, и не стал.

— Меня Аркадий зовут.

— Рита.

Она убирает маракас и протягивает мне руку.

15

У нее тонкие пальцы, миниатюрные. Такая теплая ладонь. Мягкая, сладкая. Я почему-то именно такой ее и представлял. На таком расстоянии я могу почувствовать приятный аромат. От Риты пахнет какими-то цветами или еще чем-то очень знакомым и сладким. Ирисками. Точно, так пахнут ириски. Такой нежный и убаюкивающий аромат.

От меня, вернее от Аркадия, за километр несет потом. Мне становится неловко от того, что грязные шершавые руки Аркадия трогают нежную ладонь Риты. Я извиняясь убираю руку, отступаю и прячу пальцы с грязными ногтями в карманы.

Девушка смеется, передразнивает меня и тоже убирает руки в карманы. Вот только она в юбке, от чего этот жест выглядит еще более комично, и я не могу сдержаться, начинаю хохотать.

Она такая молодая. Энергия и сама жизнь пульсируют вокруг нее. В сером, заморенном городе она одна, особенная. В ней есть что-то... Скорее, в ней просто нет маски. Она — Рита, и внутри и снаружи, и я в этом уверен.

Мы стоим и смотрим друг на друга.

Я понимаю, что молчание затянулось. Аркадий это тоже понимает и собирается уйти. А я не хочу.

— Что застыл?

Аркадий производит ртом невнятные звуки, а я краснею за него и не знаю, как поступить.

— Пошли прогуляемся? Смотри какой день отличный!

Аркадий кивает, а я думаю, слава богу, она не прогоняет заторможенного ухажера.

И мы гуляли до самой ночи. Бродили по улицам. Рита без умолку что-то рассказывала и хохотала без остановки. Она любит поговорить. А я все чаще чувствовал себя Аркадием.

— Давайте на сегодня прервемся?

Фальшивка делает глубокий разочарованный выдох и убирает журнал с пометками в свою безразмерную коричневую сумку.

Несмотря на то что за окном уже стемнело, никто и не собирается уходить, людей стало только больше. И никто из них мне не верит. Как не верит ни единому слову и мой притворный лжепсихиатр.

Их глаза жаждут расправы, они хотят крови. Моей крови.

На столе возле меня стоит наполненный до краев стакан, и я знаю, что это лишь начало. Знаю, что пить мне воду еще не один день.

Что ж.

На сегодня хватит, значит — хватит. Время работает на меня. Мне торопиться абсолютно некуда. Хотя нет, в туалет, кажется, пора бы.

* * *

— Даже не спорь. Сделаем из тебя настоящего Чаплина.

Рита силой сажает меня перед зеркалом. Откуда у нее внутри хрупкого существа столько силы?

Я поддаюсь.

Мне не нравится идея с переодеваниями, но я соглашаюсь. Я не хочу расстраивать или разочаровывать ее.

Рита возится с моими волосами, что-то мычит себе под нос. То одобрительно кивает, то недовольно причмокивает.

Странное чувство. Только я, кажется, лишился маски и решил, что наконец-то стал собой, как мне снова предстоит ее нацепить. Только новую. Еще более чужую. И настаивает на этом единственный человек, которому удалось ее с меня снять.

— Смотри. Ну просто, как две капли. — Рита смеется, убирает мне челку назад и закалывает невидимкой. Растягивает пальцами на моем лице улыбку, и сама улыбается в ответ. — ДА тебя сама мама Чарли приняла б за сына.

Отвечаю — угу.

Я так, конечно, не считаю, но позволяю Рите делать с Аркадием и с собой что захочет.

Ее тонкие пальчики опять принимаются разбирать мои волосы. А я вдыхаю нежный запах цветов или карамели.

— Не помню точно, справа или слева у него. — Она раскладывает пряди то в одну, то в другую сторону, делает пробор.

Я пожимаю плечами, Аркадий улыбается.

Если ты собираешься стать двойником, раздобудь как можно больше фото своего объекта. Если есть возможность, раздобудь еще и видео. Затем...

— Извини, что перебиваю, — активизируется лжепсихиатр. — Ты решил пародировать Чарли Чаплина? Я правильно понимаю?

Я развожу руками.

— Жить на что-то нужно? А на стройку я больше не вернусь. Рита сказала, что с моей внешностью можно неплохо подзаработать.

Пустышка что-то торопливо помечает в своем журнале и жестом предлагает продолжить рассказ.

Так вот.

Много раз просмотри фотографии. Внимательно приглядись. Развесь их по всем стенам, чтобы на каждом шагу ты упирался взглядом в объект подражания. Пересматривай видео, каждый день, несколько раз в день, перед сном и как проснешься.

Изучи особенности фигуры, поведение объекта. Его привычки и всевозможные особенности. Скопируй манеры, жесты.

Прическа, одежда, кулинарные предпочтения. В этом деле мелочей нет. Если ты собираешься стать настоящим двойником.

В то время, конечно, я еще не знал всех тонкостей профессии. Тогда я понимал только, что своим результатом не доволен, что сам себе не верю. Подделка. Понимал, что нужно что-то менять. Но что именно? И как? На это у Аркадия в тот момент не хватало ни ума, ни опыта.

Коробка разноцветной косметики, темные очки и белые носки не сделают из тебя двойника Майкла Джексона. Плохо отрепетированная лунная походка, брюки с завышенной талией поверх огромного пуза, кудряшки на парике и белая рубашка тоже не помогут.

Как не помогут пробор на голове, трость и шляпа, когда изображаешь Чаплина.

— Нет. — Рита смотрит на меня через зеркало. — Так не пойдет. Вставай.

Она буквально за руку ведет меня к парикмахеру. Как она говорит, к хорошему парикмахеру.

Собрался стать двойником, это тяжелый труд, который потребует от тебя серьезной подготовки. Еще понадобится приличная сумма денег на всякие там атрибуты, если ты, конечно, всерьез хочешь стать настоящим двойником, а не фальшивкой.

Больше часа мастер возится с моей прической, мусс, гель, лак. После неудачной попытки скопировать прическу с фотографии моем голову и по новой.

Рита внимательно следит, все контролирует.

Затем брови, ногти, увлажняющая маска. Аркадий устает, но все больше походит на Чаплина. Аркадий уже похож, а я нет.

Целый день провозились с моим перевоплощением. Аркадий прошел через весь гламурный ад. Эпиляции, пилинг-шмилинг и другие страшные слова, обозначающие процедуры, с которыми строитель никогда не сталкивался и даже не слышал о таких.

Аркадий молодец. Все выдержал. И спустя пять с лишним часов труда на меня из зеркала смотрел живой Чарли Чаплин.

Моя первая роль двойника.

Задница занемела от неподвижного сидения, поясница ноет, Аркадий проголодался, но результат того стоил. Образ вполне себе готов.

— Как тебе?

Вместо ответа я встаю и разминаю ноги. Иду по комнате, изображаю знаменитую походку Чаплина и делаю легкий неуклюжий поклон затекшей спиной.

— Да-да! Я так и представляла! — Рита взвизгивает и хлопает в ладоши. — Класс, класс, класс!

Подражать Чаплину легко. Поверьте, большинство людей с трудом представляют, как он выглядел на самом деле. Общие размытые образы, навеянные в основном низкоуровневыми двойниками. Аркадию достаточно было слегка переодеться, уложить волосы, улыбаться — и вот он, Чарли перед вами.

Но слегка переодеться, не наш уровень...

Несмотря на все усилия, это, естественно, получилась фальшивка. Жалкое подобие дилетанта-двойника. Но, как говорится, первый блин...

И благодаря этому скомканному блину, Аркадий смог почувствовать то, что я всегда испытывал, прячась за ним. Свободу. Раскрепощение. Жизнь на новом, ином уровне. Жизнь, подальше от общества, от норм и правил, от осуждений и оценок.

И это не могло не понравиться ему.

Теперь образ знаменитости скрывает Аркадия, и он может дышать полной грудью. Теперь окружающие видят не его самого, затюканного, несчастного и вечно недовольного, а лишь образ.

Аркадий с удовольствием погружается в пустоту под маской, а я еще больше отдаляюсь от реальности. Двойная ширма работает.

Удивительно, я могу наблюдать, словно со стороны, как Чаплин улыбается в зеркало, а в ответ из-под маски Аркадий без эмоций наслаждается своей новой свободой. Мне может быть до слез грустно, а за двойным барьером Чарли растягивает улыбку.

Нам предстояла большая работа.

Фразы, акцент, взгляд. Все нужно скопировать до мелочей. Симметричные брови — ошибка, никогда не делай идеально ровные брови. У большинства людей брови асимметричны. Эту асимметричность ищут пограничники на фотографии в паспорте, и именно ее искал тогда я, начинающий профессиональный подражатель.

Мы выступали на центральных улицах города, веселили толпу. Рита пела, я позировал для туристов с селфи-палкой. За сущие гроши. Но денег вполне хватало, чтобы не помереть с голоду.

Удивишься, как мало нужно фантиков для выживания.

Мне не удавалось купить дорогого вина, зато теперь не нужно возвращаться на стройку, и самое главное, я был рядом с Ритой.

Делаю глоток.

Смотрю на лжепсихиатра.

Он обыкновенно что-то помечает в журнале, но на этот раз не спускает с меня глаз. Ему кажется, он наконец что-то нащупал. Ему кажется, что я сказал что-то важное. И это что-то важное его заинтересовало.

Никто не расходится, все следят за рассказом. Ждут, когда я уже перейду к самому главному.

Им не терпится услышать, как я сознаюсь и каюсь. Собравшиеся ждут, что я вот-вот брошу необдуманную фразу, меня подловит поддельный доктор, и откроется тайна.

А я пью воду, смотрю по сторонам и ума не приложу, какую такую тайну мог бы им сообщить. И что так заинтриговало фальшивого психиатра?

* * *

— Можно мне сигарету?

Врач-пустышка приподнимает брови, от чего его узкий лоб покрывается глубокими морщинами.

— Ты же не куришь.

Он тыкает пальцем в папку с документами, мол, смотри, там все написано, все зафиксировано, я не пью и не курю. Он перелистывает ту часть, где это записано, и зачитывает. Его лоб все еще морщится, брови сведены.

Я не отвечаю.

Фальшивка просит кого-то, и передо мной почти мгновенно появляется пепельница, слоненок. Если дернуть за хобот, поднимается крышка и открывается полость для окурков, аккурат под хвостом, прямо в заднице слона. Пепельница грязная, наверное, от частого использования, и сбоку на ней липкий отпечаток.

Лжепсихиатр показывает мне запись, в которой я не курю, убеждает в своей правоте и едва заметно пожимает плечами.

Кто-то со спины передает мне пачку и зажигалку. Этот кто-то настолько незначительный, что ни я, ни лжепсихиатр не обращаем на него никакого внимания. Пустотелый манекен, из дешевого пластика. Мне лень даже обернуться и узнать, кто он. Думаю, ему и самому не хочется, чтобы я оборачивался.

Закуриваю.

Движением опытного курильщика стряхиваю пепел и одной затяжкой превращаю целую сигарету в окурок.

Пустышка угощается сигаретой и повторяет за мной. Я подравниваю пепел и молчу, пустышка тоже. Он все повторяет. Он ищет моего доверия. Наверное, их учат на их вонючих дешевых, недельных курсах, что нужно копировать позу собеседника, его интонацию. Учат, что нужно кивать, одобрительно махать своей пустой головой в такт собеседнику. Учат, что нужно внимательно слушать, нужно стать зеркалом, и только тогда выстроится доверительный мост.

Я выдуваю дым в лицо пустышке, он закашливается и кривится. Он хочет повторить за мной, но ему не хватает наглости или храбрости, чтобы дымить в мою сторону. Наивная трусливая фальшивка.

Все молчат.

Гробовая тишина.

Ждут, я чувствую их нетерпение, хотят слушать дальше.

Я спокойно докуриваю, меня никто не торопит, а самому мне торопиться некуда. Запихиваю обугленный фильтр под хвост липкому слоненку и допиваю воду.

— В то время я и подумать не мог, на что способна Рита, — продолжаю, словно и не прерывался. — Она была обычной девушкой. Вернее, необычной, но только для меня, и только в самом хорошем смысле этого слова.

Хочу отодвинуться от стола, дергаю за подлокотники, но стул намертво закреплен к полу. Лжепсихиатр замечает мои действия, он не хочет, чтобы я нервничал, озирается по сторонам. Он двигает кольцо на пальце. Фальшивка ищет, чем меня отвлечь.

— Продолжайте. Что было дальше?

Фальшивка говорит нежно, его теплый мягкий тембр должен успокаивать, должен расслаблять и усыплять бдительность, но он только раздражает. Тупая, наивная подделка.

Чарли садится на скамейку. Ноги у него гудят.

Это была длинная ночка. Город праздновал. Сотни фото с королем немого кино. Бесконечная толпа, плотный поток выпивших шумных людей.

Аркадий третий день в гриме. Чтобы не испортить прическу, спал на кулаке, сидя, прислонившись к шкафу. Он ел, широко раскрывая рот, чтобы не испортить макияж. Пил через трубочку.

Он ходил, улыбался, играл, позировал, радовал зрителей. И наконец, Чарли сел на скамейку.

Я совершенно не устал, но Аркадию нужна передышка. Как минимум присесть, но я знаю, что это ему не поможет. Нам всем нужно хорошенько выспаться.

Заключительный вечер прошел. Выступления артистов, палатки с шашлыком, салют.

Все закончилось.

Жители отмечали до утра. Чарли до утра их развлекал, и сейчас, когда словно по щелчку все улицы опустели, можно перевести дух и расслабиться.

Чарли садится на скамейку, достает из кармана конфету, ириску. Аркадий любит ириски, любит их запах. А я люблю, когда меня никто не трогает. И нас обоих ситуация устраивает.

Сижу в тишине.

Совсем еще утро. Иногда проезжают машины, дворник с ведром еще только идет на работу, редкие пошатывающиеся тела бредут домой, а я пытаюсь языком отклеить конфету от зуба.

— Рита в тот день не вернулась домой, — говорю, обращаясь к лжепсихиатру.

Подчеркиваю, «не вернулась», и слежу, чтобы он обязательно пометил у себя в записях. Пусть запишет, что я ни в чем не виноват, что я весь день провел в городе, устал, как сволочь, так что я никого не убивал.

Фальшивка пишет, я делаю паузу, жду, пусть он закончит.

Утро после городских праздников всегда холодное, одинокое и грязное. Повсюду разбросаны обертки, окурки. На охоту выбираются шатающиеся санитары улиц в поиске недопитых и брошенных бутылок.

Сижу в тишине, расслабляюсь, и передо мной приземляется жук. Большой такой, откормленный хрущ, или, как его еще называют, майский жук. Падает в метре от меня и начинает ползти к газону. Торопится, усатый, перебирает лапками.

В тот день ему не суждено было добраться до травы. Этого он никак не мог предугадать. Судьба, хотя я и не верю в нее...

Воробей перегораживает хрущу путь. Раз, два, три, шустрый клюв наносит удар за ударом. Птичка подбрасывает жука в воздух, подхватывает на лету и снова клюет. Жук тщетно пытается спастись, для него все кончено. Он переворачивается со спины и пытается взлететь, но проворный клюв треплет его из стороны в сторону, словно пасть собаки, рывками дергает и хирургически точно отделяет крыло от тела. Вслед за первым отлетает в сторону и второе. За крылом на очереди лапки. Жук не сдается, борется до конца. Но...

— Чего и стоило ожидать, в итоге клюв уносит неподвижное тело майского хруща подальше с места преступления. — Я улыбаюсь и смотрю на поддельного психиатра.

Фальшивка отрывается от записей. Смотрит на меня как-то загадочно. Он ищет подсказку.

— Ты же сейчас нам не про жука рассказал? Ведь так?

Я опять закуриваю и предлагаю фальшивке сигарету. Он игнорирует и держит ручку наготове. Напрягся весь, мой лжепсихиатр, готовится записывать признание.

И я признаюсь...

— Признаюсь, — говорю и виновато опускаю голову.

Я смотрю на стол и представляю, как глаза фальшивки расширяются, рот роняет нижнюю челюсть, и та со звоном падает на пол, как дрожит ручка в его пальцах.

— Признаюсь, — говорю нарочито театрально. Как прожженный актер, со дня на день, собирающийся на пенсию. — В то утро я стал свидетелем настоящего убийства, — улыбаюсь и продолжаю: — Воробей убил, и я так подозреваю съел хруща.

Не знаю, сколько мне позволят так сидеть и дурачиться. Проверим. В любом случае мне спешить некуда, время работает на меня. Нужно подождать. Возможно, прямо сейчас, пока испытываю их терпение, Рита расправляется со своей новой жертвой.

Мой окурок залезает в слона.

Лжепсихиатр сидит и изображает из себя умного. Делает вид, что все контролирует. Может, он даже на самом деле верит в это. Делает вид, что все идет по намеченному им плану. Пишет и всем видом показывает, что уже давно раскусил меня, что вот-вот выведет преступника к настоящему признанию.

А я упрямо жду и опускаю слону хвост.

* * *

«Вчера ночью был найден зверски растерзанный труп человека».

Я переключаю канал. На другом тот же ведущий продолжает:

«По словам очевидцев, тело мужчины, завернутое в пакет, выбросили из дверей фургона».

Мне не хочется за завтраком на такое смотреть, опять переключаю.

По всем каналам одно и то же. Фургон, тонированные стекла, автомобиль синего цвета, без номеров. Растерзанное тело, заявления очевидцев, специальные корреспонденты с места событий. Полиция, мигалки, ограждающая лента. Власти успокаивают жителей и уверяют, что все силы направлены на поиск преступников.

Я люблю кушать глазунью и смотреть телевизор, но сегодня вынужден завтракать в тишине. Экран гаснет, и я слышу, как из соседней квартиры по радио диктор сообщает о вчерашнем происшествии.

Мне нет дела до их расследования. Мне не интересно, что ж такого сделали с телом мужчины, что вызвало бурную реакцию газетчиков. Я просто хочу позавтракать в тишине.

— Ты уже слышал?

На кухню входит Рита.

Она вернулась домой под утро. Пропала на ночь. Не предупредила меня и даже не извинилась. А сейчас просто заходит на кухню без стука как ни в чем не бывало и возбужденно интересуется, слышал ли я уже...

— О чем? — Я не скрываю обиды, говорю безучастно, отстраненно.

— Ну как же? Убийство. Представляешь, у него срезали лицо. — Она проводит рукой, показывает на себе.

Я макаю хлеб в желток, кладу кусок в рот и с полным безразличием смотрю на Риту.

— Что с тобой?

Я не отвечаю, продолжаю жевать и готовлю новый кусок, чтобы отправить его в рот.

— Ты обиделся? На меня? На то что задержалась?

Предательская крошка попадает не в то горло, и я начинаю кашлять. Пытаюсь запить чаем, но выкашливаю его на стол.

— Глупенький, — говорит Рита и стучит меня по спине. — Я не хотела тебя обидеть. Хотела вместе с тобой, но ты куда-то запропастился. А я встретила такую веселую компанию.

Я отодвигаю ее рукой в сторону. Предательская крошка выдавливает из меня слезу.

Вытираю лицо и говорю, что не сержусь, что я не в праве ждать верности, но, говорю, хотелось бы, что б она хотя бы предупреждала, если задумает уйти так надолго.

Тем более, говорю, сама посмотри, что творится в городе. По всем новостям обсуждают жестокое убийство.

— О, так ты все же слышал?

— Нет.

— Слышал-слышал.

— Нет, — коротко отрезаю и не хочу продолжать разговор.

— Ну хватит. Не злись. Я же объясняю. — Рита вытирает полотенцем стол и садится рядом. — Честное слово, я тебя искала, хотела позвать вместе на вечеринку.

Она говорит, что познакомилась с бесподобными людьми. Девчонки, художницы. Пишут абсолютно все, от пейзажей до портретов. Они близняшки, даже разговаривают похоже, но картины абсолютно разные. Одна создает абстракции и с натуры пишет, а другая — вылитый Серов, и зовут ее, кстати, Валентина.

— Представляешь?

Я представляю, и мне становится спокойнее.

— Получается, ты в женском коллективе развлекалась? — Обида куда-то улетучивается.

— Ну... Не совсем.

Потом, говорит Рита, к ним присоединились ребята. Она говорит «приятные такие ребята», и меня перекашивает от ревности. Что еще за вонючие приятные такие ребята?

Да, мы с Ритой просто друзья, да, между нами ничего «такого» не было, но она восхищается новыми знакомыми, а меня аж корежит изнутри.

Она называет их имена, рассказывает, кем работают, а я представляю, чем они занимались той ночью.

— Твой мотив, ревность? — резко перебивает лжепсихиатр.

Фальшивка хочет застать меня врасплох. Выбрал момент, когда, по его мнению, я уязвим, и атакует.

Он кричит:

— Говори! Ты из-за ревности их всех убил?

Он разбрасывает на столе передо мной фотографии мертвых людей. Кровь, человеческие части, изуродованные лица.

Сколько же их?

В новостях рассказывали о пяти или шести жертвах маньяка, а здесь... Им нет числа. Я раскладываю картинки и пытаюсь сосчитать. Не меньше двадцати фотографий.

Я смотрю на девушку без лица. На ней разорванная блузка, с плеч спадают слипшиеся от крови пряди волос. Ее руки вывернуты, колени согнуты в обратную сторону.

Не могу с собой совладать, меня рвет на стол, рвет прямо на снимки.

— Смотри, подонок! Смотри внимательно! — кричит подделка.

Он уверен, что сейчас меня дожмет. Сейчас я сломаюсь.

Кто-то за спиной стоит и держит мою голову, чтобы я не отворачивался. Этот кто-то держит, а я чувствую, как трясутся его руки. Этот кто-то настолько незначительный, что мне даже не противно от его трусости.

Я разглядываю фотографии. На некоторых нет людей, лишь кровь, лужи крови, и надписи, с подтеками. Алые надписи, символы на незнакомом мне языке.

— Читай, подонок! Что это значит? Читай вслух!

Фальшивка кричит и тычет пальцем в снимок, тычет пальцем прямо в мою блевотину.

— Читай!

Лжепсихиатр старается запугать меня. Но мне не страшно. Я не боюсь дешевую подделку.

Я просто не могу их прочесть. Я не знаю, что это значит. Какой-то шифр. Я не могу удержаться, и меня снова рвет.

— Федор Петрович! — слышится голос за спиной. — Можно я спрошу?

Лжепсихиатр молчит, но его взгляд отвечает лучше любых слов. Он смотрит на человека за моей спиной, и тот понимает «нет, нельзя! Не забывайся! Для чего ты тут поставлен?»

— Читай! — Он продолжает на меня орать. Ждет, что я от страха напущу лужу под стул.

А я лишь улыбаюсь. Вытираю рот, вытираю руку о штаны и без тени страха смотрю на лжеврача.

Чего мне бояться? Я не виновен. Пытать меня не станут. Продолжат расспрашивать. А трепать языком, как известно, — не мешки таскать. Еще немного потяну резину, и Рита снова кого-нибудь убьет. Убьет, не сдержится, я в этом уверен, я ее знаю. Сорвется, и я оправдан. Железное алиби. Просто подождать.

Я хочу протянуть руку и сказать, что ж, Федор Петрович, наконец-то я узнал, как тебя зовут, приятно познакомиться, но, думаю, никто здесь не оценит мой добрый жест. Вместо этого делаю грустный взгляд, пусть решит, что меня обижают его обвинения, и говорю, что я ничего не скрываю.

— Я вам, я тебе правду говорю. Я ни в чем не виноват.

Сейчас бы пустить слезу. Это для меня без проблем, конечно, но не хочу переигрывать, изображаю искренние переживания и тянусь за сигаретой трясущейся рукой.

Лжепсихиатр показывает человеку за моей спиной убрать со стола, и суетливые руки вытирают блевотину и раскладывают фотографии.

— Продолжайте. Рассказывайте.

Федор Петрович, в отличие от меня, плохой актер, натуральная фальшивка. Он делает вид, что ничего не случилось, прячет снимки и возвращается к своему нежному бархатному тембру профессионала.

Он говорит, продолжайте, пожалуйста, рассказ, и готовится записывать. Он пытается изобразить спокойствие, а я вижу, как он сдерживается, чтобы не воткнуть ручку мне в глаз.

— Все хорошо, — говорит мне, а успокаивает себя: — Я вам верю. Допустим, существует некая Рита.

Он знает, что должен посмотреть мне в глаза, но не смотрит. Уткнулся в журнал, делает вид, что записывает.

— Как фамилия вашей Маргариты? Расскажите о ней, и мы ее обязательно найдем, обязательно с ней свяжемся. Не сомневайтесь.

Он говорит, что верит. Он мне «верит». Глупая фальшивка, даже врать толком не научилась. Думаю, даже родственники жертв и то больше мне верят, чем этот поддельный врач.

* * *

— Я не знаю ее фамилию. Я не знаю номера ее телефона, не знаю адрес. Я... Я толком ничего о ней не знаю.

— Вы с ней провели год? Так?

Я пожимаю плечами. Согласен, странно. Мы с ней достаточно долго вместе, а я о ней толком ничего и не знаю.

— Расскажите, что знаете, — говорит врач сквозь зубы.

Вот зачем он так? Я невиновен. Не-ви-но-вен. Зачем столько злости и ненависти в мой адрес?

Я отодвигаю тарелку в сторону и предлагаю Рите забыть о вчерашнем. Прошу только, чтоб в другой раз предупреждала, если уходит на ночь. На это она мне ничего не отвечает.

— Пойдем. — Она говорит и нежно берет меня за руку. — Попробуем доработать, а может, и изменить твой образ.

Она ведет меня через улицу в соседнее здание. На первом этаже, судя по вывеске, арендует помещение студия актерского мастерства. Я много раз ходил мимо нее, но ни разу не заглядывал внутрь.

Мы заходим в дверь под вывеской.

Рита спрашивает, есть ли у них запись на актерские курсы, и просит включить меня в группу. Она говорит обо мне в третьем лице, и я чувствую себя маленьким мальчиком, которого мама привела записать в секцию.

Она говорит, что я способный, что мне всего-то не хватает чуть-чуть теории и опыта.

Меня зачисляют.

Без всяких кастингов и проб. Без лишних рассуждений и сомнений.

— Добро пожаловать!

Я не произнес ни звука, и меня зачисляют. Аркадию вручают майку и кепку с логотипом студии и крепко пожимают руку.

А если я глухонемой, а если недоразвитый?

Лишь бы платил...

После произнесения заготовленных фраз о том, какая их студия современная и прогрессивная, какие их педагоги талантливые и профессиональные, какие заоблачные перспективы открывают их курсы для начинающих актеров, меня записывают на занятия по вторникам и четвергам.

— Вторник-четверг, с шестнадцати тридцати до без четверти девятнадцати. — Девушка записывает информацию на визитке и называет цену за курс.

Я окончательно теряю желание посещать студию. У меня просто нет таких денег.

— Все нормально, — говорит Рита.

Она достает кошелек и платит вместо меня за обучение.

Приветливый администратор крепит степлером копию чека к визитке и протягивает мне.

— Сочтемся, — говорит Рита шепотом, подмигивает и трясет перед собой розовым кошельком с цветочками. — Тем более я обидела тебя вчера. Это мое извинение.

Нам говорят, что первое мое занятие уже сегодня и что меня ждут с нетерпением.

Рита говорит, что он, она показывает на меня, обязательно придет, и мы уходим.

До обеда мы гуляем по городу. Отдыхаем.

Утром нет смысла развлекать прохожих, все заняты, торопятся. Мы просто прогуливаемся и беседуем. Только я и Рита, без Аркадия, без Чарли, без лишних мыслей и проблем.

Как всегда, я молчу, она говорит.

Она много говорит.

Обо всем на свете и ни о чем. Болтает без остановки. Я только киваю и иногда произношу «угу», а Рита знает обо мне абсолютно все. Я не разговариваю, а она знает все о моем детстве, о моих родителях, о том, что я люблю и чего терпеть не могу, в общем абсолютно все.

У Риты такой дар.

После первой же встречи у меня не осталось от нее тайн. Она умудрилась разузнать даже то, что я от самого себя скрывал. Причем Рита это проделывает как бы случайно, вроде бы невзначай. Ей в разведку надо. Отличный сотрудник получился бы.

Мы гуляем, и она постоянно говорит, обсуждаем все на свете, а в итоге обо мне известны даже мелкие подробности, а о ней самой я знаю лишь ее имя. И нет ощущения, что Рита незнакомка, напротив, я уверен, что знаю ее лучше, чем самого себя.

Но на деле не знаю даже сколько ей лет.

— Рита, сколько тебе?

— Сколько чего?

— Лет. Сколько тебе лет?

— Балбес... У женщины не спрашивают такое.

Я говорю, что с виду староват для такой, как она. Любопытно, на сколько большая между нами разница, только и всего.

— Мне достаточно лет, чтобы не видеть в тебе старикашку. — Она специально шепелявит на слове старикашка, изображает маленькую девочку.

И мы больше к этой теме не возвращаемся.

Ближе к вечеру мы расходимся по делам. Я иду на курсы, а Рита собирается играть в переходе и петь свои песни. Зачем ей это? Уверен, у нее достаточно денег. Странное хобби.

Я прошу, пусть Рита напишет мне свой номер, на случай, если срочно нужно будет созвониться. Она смеется, мол, я настолько старый, что прошу записать. Мол, уже не в силах запомнить пару цифр.

— Я не пользуюсь телефоном. Это бич цивилизации.

Бич — это я, думаю про себя и продолжаю идти следом за Ритой.

— Когда захочешь, без труда найдешь меня. Без всяких телефонов. А сейчас поторапливайся на занятия. Хватит идти за мной. Опоздаешь!

— То есть ты знаешь способ, как с ней связаться? — перебивает Федор Петрович.

Я пожимаю плечами. Говорю, что не знаю, почему Рита так сказала, может, просто чтоб отвязался. А может, на самом деле считала, что я могу догадаться, где ее найти.

— Ты хочешь убедить нас, что Маргарита существует, но при этом упорно отказываешься помочь нам в поиске.

Меня раздражает, что глупая фальшивка обращается ко мне то на «вы», то на «ты». Вполне устроило бы уважительное «вы».

Я говорю, что не знаю, как еще его убедить, говорю, что на самом деле не знаю, где ее искать. Я не обманываю и ничего не скрываю.

— И я не отказываюсь сотрудничать. Более того, мне сильнее других интересно найти Риту.

— Тогда хватить вилять! — Лжедоктор нервничает. — Расскажи, какие у нее приметы? Может, есть особенности? Пирсинг, тату?

Тату.

Точно. У Риты на ноге возле косточки есть татуировка. Растение какое-то. Может, плющ. Когда она обувает открытые туфли, красиво выглядит. Словно стебель пробивается из каблука и ползет по ноге к небу, обвивая гладкую кожу.

— Есть татуировка.

— Какая?

Он спрашивает без интереса.

Он, может, уже и верит в существование Риты, но считает ее максимум моей соучастницей. Он уверен, что я главарь, я убийца.

Несмышленыш. Тьфу.

Я заранее знаю, о чем он подумает. Наивный. Не может ничего от меня скрыть.

— Какая татуировка? — Он не выдерживает и повышает тон.

Молчу.

Не реагирую.

Поднимаю хвост переполненному слоненку.

Федор Петрович сдается. Он видит, что сегодня уже ничего от меня не добьется, и предлагает сделать перерыв.

— На сегодня достаточно.

Фальшивка не смотрит по сторонам, он уверен, что все хотят прерваться и отдохнуть. Встает из-за стола, и я вижу, как он прячет от меня выдох, тяжелый долгий выдох.

— Плющ, — говорю я.

— Что?

— Татуировка плюща на ноге.

Федор Петрович не обращает внимания. Убирает журнал, складывает документы в сумку.

Он устал больше, чем я.

Поддельный доктор устал больше всех собравшихся здесь. Я это знаю. Я точно знаю, не понаслышке, как это трудно поддерживать на себе маску, особенно если ты дилетант.

* * *

Из актерских курсов я узнал многое. Актерское мастерство — это способ вызвать эмоциональный отклик у зрителя. Смысл обучения — заставить публику сопереживать. И самое главное, я узнал, что актерские курсы — бесполезная трата времени и денег.

Не мое.

По окончании занятий мне полагалась справка с круглой печатью учреждения образования, а также при желании я мог купить дополнительно сертификат на любом языке, который подтверждал бы прохождение мной обучения в случае отъезда за границу.

Можно купить и свидетельство в твердой обложке с указанием количества пройденных мною учебных часов с выпиской по темам.

Но зачем оно мне? Мой главный сертификат — перевоплотиться настолько, чтобы Рита не смогла узнать меня в образе. И курсы в этом уж точно не помогут.

Актерская академия — надувательство. Учат, как из плохой подделки стать плохой копией. Любой бестолковый каприз, только плати. Бюро по зарабатыванию на тебе денег.

Существует система бонусов и поощрений. Удобно придумано, если покупаешь два из предложенных документов, получаешь скидку в пять процентов на третий.

Сценическая свобода.

Упражнение на раскрепощение, внимание, воображение и фантазию. Беспредметное действие, работа с предметом.

Техника дыхания. Пластика. Отношение к партнеру, этюды, пантомима. Сценическая речь. Работа на съемочной площадке.

Познавательно, но мне всего этого недостаточно.

— Ты можешь предъявить документ?

Фальшивка опять обращается на «ты».

Наблюдение, когда он мне верит — начинает тыкать, когда злится, раздражается или сомневается — начинает свое официальное «вы».

— Есть у тебя хоть что-нибудь, чтобы предъявить нам, подтверждающее твои слова?

Они хотят доказательств.

Я не закончил те курсы, и даже если бы прошел обучение до конца, никаких документов покупать не стал бы.

И зачем мне что-то доказывать? Достаточно еще немного подождать, и Рита заявит о себе сама.

Скоро, совсем скоро мы все, присутствующие здесь, узнаем о новых кровавых убийствах, услышим о новых растерзанных жертвах.

Скажу правду как есть. Мне нечего скрывать...

— Мы уже все проверили. — Не дает мне ответить голос за спиной. — Он на самом деле посещал курсы по указанному адресу.

Федор Петрович одаривает беспардонного носителя голоса за моей спиной укоризненным взглядом. Он не скрывает раздражения, не стесняется меня, делает никчемному голосу за спиной грубый жест брысь.

— Он посещал, но о девушке никто не слышал. Ее никто ни на курсах, ни в студии не видел, — говорит удаляющийся голос за спиной.

Врач недовольно чмокает и качает головой. Он старается сделать вид, что это в мой адрес, но я знаю, что его раздражение адресовано пустотелому манекену с робким голосом.

Федор Петрович говорит, чтобы я продолжал, говорит, что внимательно слушает. Переворачивает страницу журнала и готовит ручку.

А я усердно тяну время и говорю, что из любой кучи помоев при желании можно извлечь пользу.

Была польза и от курсов.

Там впервые я услышал о мышцах лица. О мимических мышцах.

— Что это ты делаешь? — Рита садится сбоку от зеркала и смотрит на меня пристальнее, чем мое отражение.

Я сдерживаю улыбку, прижимаю ладони к лицу так, чтобы указательные пальцы лежали на висках. Сжимаю плотно губы и вытягиваю их трубочкой. Надавливаю на скулы и одновременно расслабляю губы.

— Это тебе на курсах показали?

Я говорю «угу» и продолжаю упражнение. Не хочу, чтобы Рита знала, что я бросил занятия.

Она повторяет за мной, вытягивает губы и качает головой. Смотрит на меня через зеркало, гладит мое отражение.

Рита медленно приближает губы к зеркалу. Я тяну ее за плечо, собираюсь поцеловать, пока она в игривом настроении, но она останавливает меня. Выворачивается. Кокетливо извивается и говорит, нет-нет-нет, не торопи события.

Наигранно смеется и выходит из комнаты. А я делаю вид, что ничего не случилось. Остаюсь у зеркала с растерянным отражением наедине.

Мне еще нужно надуть левую щеку, задержать на десять секунд, затем правую, и так хотя бы три подхода.

— Понимаете, — обращаюсь я к присутствующим, — я решил стать настоящим. А не каким-нибудь подражателем.

— Можно я задам вопрос? — Все не унимается пустышка за спиной. Дождался удобного случая и снова сует свои пять копеек.

Лжепсихиатр ожидаемо морщится. Трясет сжатым кулаком в воздухе, мол, заткнись, последний раз предупреждаю.

— Я уверен, — продолжаю говорить, обращаюсь к собравшимся, не обращаю внимания на пустышку и его желание что-то спросить. — С помощью тренировки и развития мимических мышц можно без пластического хирурга стать другим.

Говорю, можно избавиться, например, от морщин. Убрать двойной подбородок. Можно выровнять нос, увеличить губы. Поправить овал лица.

Да все, что угодно. Все возможно, если очень захотеть. Можно стать совершенно другим человеком. Таким, каким пожелаешь.

Я вижу, как заинтригованы зрители. Наконец-то я нашел тему, с помощью которой могу занять их уши и потянуть время.

Теперь они смотрят на меня иначе. С заинтересованным презрением. Упитанные, розовощекие, с обвисшими складками под одеждой, они готовы отложить казнь маньяка, мою казнь, до конца рассказа. Они хотят узнать мой секрет.

Не нервничать.

Просто продолжать говорить, объяснять и ждать. Рита сорвется. Ей сейчас тяжелее, чем мне. Пусть мне мало о ней известно. Но я знаю точно, как сильно она любит кровь. Немного подождать, немного терпения.

Кончиками пальцев плотно прижми кожу у наружного края бровей, не оттягивай, только прижми. Затем зажмуривай и открывай глаза, не отпуская пальцев.

— Лучше этим заниматься перед зеркалом. — Я показываю, как правильно выполнять упражнения.

Я показываю и смотрю строго перед собой, на Федора Петровича. Зажмуриваюсь и чувствую, как меня буравят взгляды присутствующих. Они ловят каждый жест, внимают каждому слову.

Сложи пальцы в замок, помести их на лоб и прижми как можно плотнее. Попытайся поднять брови, задержи напряжение на десять секунд, расслабь лоб. Так повторяй минимум три раза.

— С этим комплексом главное не переусердствовать.

Рита куда-то ушла, и я весь день просидел у зеркала, изучая новые упражнения. Я, наверное, идеалист: если уж решил — выжимаю из себя максимум.

В те дни я с головой погрузился в профессию. Все, что меня занимало, стать не просто дешевым подражателем, а профессиональной стопроцентной копией.

Рита куда-то ушла, но меня это только обрадовало. Больше времени на тренировки мышц.

Ушла и ушла...

Тогда я же и подумать не мог, с кем вот так вот живу под одной крышей.

— Мы, кстати, с Ритой обсуждали те самые убийства. Называли маньяка больным психом, конченым ублюдком, зверем, нелюдем.

Мое замечание не оказало должного эффекта. Собравшиеся мне не верят. Все еще не верят.

Но это чистая правда.

Мы разговаривали с ней, вместе осуждающе качали головой. Попадись он нам, этот монстр, говорила Рита, непременно лично разорву его в клочья.

На тумбочке краткий анатомический атлас. Развернут на странице мышцы лица.

Я читаю: «Малая скуловая мышца. Медиальные пучки этой мышцы переплетаются с мышечными пучками круговой мышцы глаза».

Пробегаю глазами врачебные термины.

Меня не интересуют названия, мне не важно устройство. Я лишь хочу узнать функцию и каким образом натренировать конкретную часть.

Бла-бла, мышца вплетается в кожу носогубной складки, бла-бла-бла, при сокращении. Тянет верхнюю губу вверх — вот. Тянет верхнюю губу, углубляет носогубную складку.

Я ощупываю пальцами зону на лице, где должна быть малая скуловая мышца. Она участвует в мимике, она важна для моей новой профессии, и я записываю на зеркале ее название и условное расположение.

Двигаю бровями, губами, ноздрями.

С первого раза избирательно задействовать лишь одну мышцу не простая задача.

Не получается.

Я читаю дальше: «Мышца, опускающая угол рта».

Пригодится. Полезно уметь пользоваться уголками рта.

Я пробую скривиться. Это кажется проще, чем шевелить малой скуловой. Рот послушно изгибается в перевернутую улыбку. Левая сторона заметно ниже опускается, и ей мне легче управлять.

Хм.

Мышца начинается широким основанием от передней поверхности нижней челюсти, ниже подбородочного отверстия. Направляясь вверх, мышца суживается, бла-бла-бла, достигает, вплетается в кожу угла рта, бла-бла, в толщу верхней губы, бла-бла, тянет к низу угол рта и делает носогубную складку прямолинейной.

Опускание углов рта делает на лице выражение печали.

Пишу на зеркале: печаль, и рисую схематически мышцу.

Читаю:

«Подбородочная мышца начинается рядом с мышцей, опускающей нижнюю губу. Вплетается в кожу подбородка.

Функция: поднимает кверху кожу подбородка, образуются небольшие ямочки, и подает кверху нижнюю губу, придавливая ее к верхней».

Читаю, пробую, записываю.

Снова и снова. Читаю и пробую.

Надо сказать, есть мышцы, которыми без труда удается управлять сразу, и есть те, о существовании которых раньше и не подозревал.

Читаю, пробую двигать, записываю.

Вскоре на зеркале не осталось места. Лицо ноет, словно на нем поработали отбойным молотком. Через синие черточки фломастера я с трудом различаю уставшее отражение начинающего подражателя.

— Пародиста? — хочет поправить Федор Петрович.

— Нет. Именно подражателя. Я так называю свою профессию.

К моему удивлению, на лице человека, на моем лице, больше пятидесяти мышц. И каждую из них я обязан изучить и научиться ею пользоваться. Я знаю, я уверен, что с их помощью можно не просто разгладить парочку морщин. С их помощью можно менять внешность.

Так я просидел весь день. Согнувшись над записями, перед зеркалом.

Без перерыва.

Пару раз отошел в туалет — и все.

Просидел за работой практически до утра.

— В ту ночь, кстати, Рита снова не ночевала дома.

Я в этом уверен на все сто. Делаю пазу. И хочу, чтоб лжепсихиатр это зафиксировал у себя в журнале.

Я заснул под утро, а проснулся около полудня.

— Я это хорошо помню. Удивился еще, что так долго проспал, скрючившись перед зеркалом, это на меня не похоже.

— Что было дальше? — Фальшивка считает, что мой рассказ ничего не стоит. Он думает, что я все сочиняю, но продолжает записывать.

Она вернулась, и я проснулся от щелчков замка. Замок у меня старый, не услышать его невозможно.

Она вернулась, а я притворился, что уже давно не сплю.

— Можно я задам всего один вопрос? — Голос за спиной уже более уверенный и настойчивый. — Федор Петрович, всего один вопрос.

Помощник фальшивки. Что он может спросить? Трусливый ассистент безмозглого. Да пусть уже спросит, е-мое, если неймется. Петрович, разреши ты ему. Видишь, свербит у паренька.

Я делаю паузу.

Жду, что же ему ответит мой дорогой лжепсихиатр. А фальшивка красный, что тот рак вареный. Сейчас испепелит взглядом дерзкого выскочку.

— Как так вышло, что вы едва познакомились и уже живете вместе? — спрашивает голос, собрав остатки храбрости и не дожидаясь разрешения. — Как так?

Стук кулака Федора Петровича о стол глушит последние слова вопроса молодого ассистента.

— Выведите его отсюда! — Лжепсихиатр кричит и встает с места. — Что ты о себе возомнил? Уберите этого сейчас же!

Я представляю, каких сил стоит моему фальшивому врачу сдерживаться от нецензурной брани. Он кричит уведите, и слышу, как за спиной сначала быстро приближаются, затем также быстро отдаляются чьи-то шаги.

— Ответь! — не унимается голос. — Федор Петрович, скажите, пусть ответит. Ответь, скотина! Почему вы вместе жили?

Я слышу, как открываются и сразу закрываются двери. Слышу, как пластиковая пустышка уже совсем смелым тоном требует, чтобы от него убрали руки.

Доктор ждет, когда стихнет шум за дверью. Затем невозмутимо поправляет воротник.

— Прошу прощения за моего помощника. Прошу вас, продолжайте. Рассказывайте.

Он снова переходит на «вы».

— Может, хватит уже?

Лжепсихиатр смотрит на меня в недоумении.

— Вы же не верите ни единому моему слову. Никто из вас не верит! К чему весь этот цирк?

Думаю, фальшивка и сам не знает к чему. А вот я прекрасно знаю, зачем мне этот спектакль. Я прекрасно знаю, к чему приведет моя подобная фраза. И я прекрасно знаю, чему учили фальшивку в его вшивом университете.

— Мы вам верим. Верим. Продолжайте, пожалуйста, рассказ. Если бы мы вам не верили, сейчас бы с вами беседовали другие люди. Совершенно другие. Нам важно узнать все подробности. Мы хотим узнать все, чтобы полностью разобраться.

Как по нотам.

Проще простого. Мой фальшивка действует строго по инструкции. Безмозглая фальшивая грязь.

Не нервничать и тянуть время. Сохранять спокойствие и просто ждать. Давай же, Рита. Убей. Хоть кого-нибудь.

— Можно мне воды?

Стакан давно опустел, и его никто больше не наполняет.

— Конечно. — Федор Петрович делает жест, чтоб скорее налили, но его помощника вывели из помещения. Он недовольно встает, наклоняет графин и наливает в стакан до краев.

Я не пью.

Смотрю на воду, намачиваю мизинцы и провожу ими по бровям.

Фальшивка закипает.

Давай. Взорвись, тупица. Объяви перерыв или еще что-нибудь. Время работает на меня.

Я повторяю ритуал с мизинцами и улыбаюсь.

— Мы вас внимательно слушаем.

Он пододвигает журнал и готовиться писать дальше.

Зачем он записывает? На столе диктофон. На нас направлены две камеры. Вокруг толпа свидетелей, а он, идиот, пишет.

— Продолжайте, пожалуйста. Рассказывайте.

Делаю долгий выдох.

Делаю вид, что борюсь с напряжением. Делаю жест руками, который должен дать понять окружающим, что я собрался и настроен.

Я больше не спрашиваю Риту, где она пропадает. Ответ я получил раньше, а претендовать на что-то более подробное просто не имею права.

— Сварить кофе?

Не отвечаю. Избегаю встречи, сворачиваю на кухню.

Она говорит, что кофе сейчас бы не помешал, и идет следом. Как же приятно от нее пахнет, господи, какие-то цветы и карамель. Я только по запаху без труда могу сказать дома Рита или нет.

Ставлю варить кофе. Готовлю чашки.

— Ой, — еле сдерживает крик Рита. — Что с твоим лицом?

— Ты о чем?

— Сам посмотри.

Она протягивает мне из косметички зеркальце.

Я смотрю и чувствую, как сердце бьется чаще. Я не из слабонервных, но сейчас, кажется, потеряю сознание. Из маленького кругляша в красной пластиковой оболочке на меня смотрит урод. Натуральный урод. В отражении я вижу Квазимодо.

Одна бровь выше, другая неестественно ниже обычного. Щеки сползли. Губы асимметрично изогнулись.

В тот день я испытал то, что люди называют панической атакой. Настоящий приступ.

— Не знаю, можно ли такое здесь говорить. Рита не ангел, это да. Но спасибо ей огромное. Только благодаря ей я не умер в тот день.

Зря я это сказал.

Недовольное шуршание пронеслось по помещению. Гневные возгласы. Ненависть вырывается наружу. Ненависть в мой адрес. Но иная. Теперь меня проклинают за то, что я хорошо отозвался о Рите.

И это прекрасно...

Это значит, что мне начали верить. Я больше не убийца в их глазах. Мне удалось убедить, что это Рита во всем виновата. Если и не убедить, так хотя бы начать сомневаться. И это большое достижение. Я выиграл еще чуть-чуть времени.

— Сейчас мне понятно, что просто перетрудил мышцы, — продолжаю, стараюсь сменить тему. — Уже через несколько дней все вернется в нормальное состояние. А вот тогда...

Мне казалось все, финиш.

* * *

— Будешь медвежонком. Раз сломал рабочий инструмент.

Я никогда не относился к своему лицу, как к рабочему инструменту. Руки, плечи, спина, ноги. Работать головой, а тем более лицом. Даже представить такого не мог.

— У меня есть ростовой костюм. Не самый лучший, потертый и в нем жарко, но...

— Я не хочу.

Рита наливает чай, она знает, что я пью только кофе и без сахара. Наливает две чашки и подвигает одну мне.

— Не опускай руки. Я уверена... Я обещаю, через пару дней все вернется на свои места. — Она гладит мои распухшие брови. — Это всего лишь шанс выйти за рамки. Не бойся что-то менять. Привычки не делают нас теми, кто мы есть, это обман.

Она кладет сахар мне в чашку и размешивает.

— Пей.

Я смотрю на водоворот чаинок. Кожа наползает на глаза, и мне приходится придерживать лоб руками. Чай пахнет ягодами, розовая кисло-сладкая жижа. И мне совершенно не хочется его пробовать.

— Хватит гипнотизировать. Пей, а то остынет.

Делаю глоток.

Стараюсь не смотреть в чашку, но все равно замечаю уродливое отражение. Обжигаю небо и отставляю напиток остыть.

Рита, как всегда, говорит без умолку. Говорит, сейчас позавтракаем и пойдем примерять костюм.

Хочешь стать профессионалом, тогда ни шагу назад. Несмотря ни на что, только вперед, только действовать.

— Пару дней поработаешь куклой. Подумаешь, беда.

Я не в состоянии что-то говорить или сопротивляться. Молчаливо соглашаюсь. Будь как будет. Ей сейчас виднее.

— Сколько можно? — слышится плачь за дверью.

Лжепсихиатр мгновенно реагирует и жестом показывает убрать плачущую женщину подальше. Он смотрит на меня, оценивает, услышал ли я разговор, ждет, как я отреагирую.

— Что там происходит?

— Ничего-ничего. Не обращайте внимания, продолжайте.

Он явно недоволен. Старается скрыть, но я вижу, как он нервничает. Он листает журнал и всеми силами пытается меня отвлечь.

Я слышу, как за дверью успокаивают женщину. Ее торопливо уводят, и я не могу расслышать всего разговора, лишь обрывки фраз. Она причитает, всхлипывает, говорит, что больше не может ждать, говорит что-то про свою девочку. А ее успокаивают, мол, Федор Петрович знает, что делает, что все будет хорошо, что просто нужно немного еще подождать.

Голоса удаляются.

— Что было дальше? Рассказывайте.

Я закуриваю, хочу обернуться и посмотреть на дверь, но не решаюсь. Странная ситуация. Не знаю как реагировать. Пододвигаю пепельницу хвостом к себе и продолжаю.

Помню, в поезде я ночью боялся идти в туалет. Просто не хотел побеспокоить пассажиров. Не дай бог, кто проснется и увидит мое лицо.

— Что вы делали в поезде?

— Ну я же говорю, Рита предложила временно поработать куклой медведя. И в тот день мы ехали за костюмом. Заодно хотели навестить ее родственников.

Фальшивка оживляется. Просит рассказать, что за родственники и адрес места, куда мы ехали.

— Я не знаю, — говорю и понимаю, насколько нелепо это звучит. — Понимаете, я был в таком состоянии...

— В каком? — уже не скрывает раздражения Федор Петрович.

— На мне лица не было! В прямом смысле.

Я с силой заталкиваю окурок в слоненка.

— Я не помнил, как очутился в поезде. Наверное, Рита отвела за руку. Не помню!

— А родственники? Кто они?

— Родственников мы не застали. Просто пустой дом. Никого не было. Мы зашли, забрали костюм и тут же уехали.

— Что за дом?! Адрес! Приметы! — Фальшивка обрывает себя на полуслове. Быстро меняется в лице и другим тоном, совершенно спокойным обращается скорее к присутствующим. — Продолжайте. Ничего страшного. Рассказывайте по порядку, что помните.

Я делаю выдох. Держу паузу и продолжаю.

В итоге не вытерпел. Уж больно в туалет приспичило.

Пошел.

Несколько раз посмотрел на номер места. Девятое, рядом десятое, одиннадцатое и двенадцатое. У меня нижнее, но удобнее ориентироваться по верхним. На столике бутылка воды и сумка Риты. Запомнил.

По пути в конец вагона про себя повторяю цифры, чтобы не перепутать. Не хотелось вернуться и в темноте ошибиться с местом. Разбудить человека посреди ночи и подставить ему свое лицо — гарантирован инфаркт.

Иду.

В это время все туалеты свободны. Наспех, чтоб никто не пришел, делаю свои дела и быстрее назад.

Возвращаюсь, а на моем месте кто-то лежит. Естественно.

Проверяю — девятое. Еще раз проверяю, девятое. И занято. На полке храпит здоровенный мужик. Такой наглец, только я отошел, а он тут как тут.

Бужу.

Я же проверил и уверен, что это девятое, мое место.

Кое-как расталкиваю толстяка. Он приоткрывает один глаз, и я тут же понимаю, что на столике нет ни бутылки, ни сумки. Это не мое место.

Откуда у неповоротливого тюленя такая реакция? Кулак мгновенно, я его даже не вижу, встречает мою голову, и я падаю на пол.

— Ты за это его убил? — кричит кто-то справа.

Я смотрю в его сторону и вижу, как человека выводят из помещения. Он вытирает со щек слезы и обращается к собравшимся.

— Это животное убило моего отца за то, что оно само же перепутало место и испугало спящего.

Его выводят, он вырывается, кричит чтоб убрали от него руки, а Федор Петрович не отрываясь сверлит меня взглядом.

— Я никого не убивал. Что здесь в конце концов происходит? Я не виновен ни в чем.

— Думаю, на сегодня достаточно. Нам стоит прерваться.

Я совершенно не устал, но думаю, на этот раз фальшивка прав. Возможно, он впервые прав.

* * *

На загородной, забытой богом остановке мы ждем автобус. Долго не едет, зараза. Он должен раз в час ходить, на табличке висит его расписание, но мы уже прождали два.

Стоим, разговариваем с новой знакомой.

Рита рассказывает девушке обо мне, о том, как я безуспешно стараюсь стать актером. А новая знакомая рассказывает, какой замечательный урожай вырос у нее на грядке.

— Я только что забыл о медвежатах, — говорю и сам удивляюсь своей глупой фразе.

Нелепо, невпопад. Просто срывается с губ. Как когда бредешь по улице и мысленно ведешь с собой диалог. Рассуждаешь о чем-то важном, отвечаешь себе и понимаешь, что нечаянно ответил вслух. И, как назло, тебя кто-то рядом услышал.

Рита и новая знакомая удивленно смотрят на меня. Ждут, что я продолжу мысль.

Неловкая пауза.

— Плюшевые, маленькие, — поясняю зачем-то. Хочу избавиться от неприятного, неудобного чувства, но не получается. Становится только хуже. — Целый отряд, стая. Они преследуют меня...

Рита думает, наверное, я пытаюсь так пошутить, а я сам не знаю, зачем продолжаю говорить. Мне стыдно, и я краснею. Уши и щеки просто горят. И, зараза, не могу остановиться.

Ох, скажи я просто, ай, забудьте, скажи я, неудачно пошутил, да что угодно скажи, чтобы переменить тему, но нет, я продолжаю нести ахинею.

— С детства, — добавляю и понимаю, как же это нелепо. — И только с ней я забываю о медвежатах, — показываю на Риту и хочу провалиться сквозь землю.

«Не рассказывай обо мне». Я слышу голос Риты. Она шепчет. «Не говори обо мне больше».

— Я очень богата. А грядки, это просто хобби.

Девушки никак не реагируют на мои фразы. Словно я ничего не говорил. Возможно, ждали, когда закончится шутка, чтоб засмеяться, но решили, что тактичнее пропустить мои слова мимо ушей.

— Забудьте. Это просто...

Рита отводит меня в сторону. Она говорит, чтобы я так не делал, говорит, что ревнует, когда новая знакомая обращается ко мне.

Хотя я и не разговаривал с той дамой, даже и не думал. Мои мысли занимает тот факт, что со мной обращаются как с ребенком. Хватит меня за ручку водить и отвечать за меня.

Рита не унимается, все говорит и говорит. Ее рот, как пулемет, выстреливает колкости в мой адрес. Она искоса смотрит на новую знакомую и намекает на мою корыстность. Мол, за деньги я готов на все. Я говорю, что не понимаю, о чем она, и что меня абсолютно не интересует эта девушка. Мол, она меня не привлекает. Абсолютно не в моем вкусе.

— Она обычная.

— Нет, я не обычная. — Новая знакомая все слышит. — Если я снималась в рекламе социальной? А? Да еще в конце ролика...

Я совершенно запутался. Что вообще происходит?

Одно хорошо, что я уже и без того красный и краснеть дальше просто некуда. Девушка видит, что нас не впечатляют ее слова о социальном ролике, добавляет:

— Туда приглашают только детей самых богатых родителей. Теперь вам все ясно?

Нет, мать твою, ни черта не ясно. Я ни сном ни духом. О чем она? Глупее может быть, только если она начнет про медвежат. Про стаю плюшевых. И зачем она карабкается на крышу остановки?

— Что ты делаешь?

Девушка смотрит на меня, подмигивает и падает с крыши.

— И подворачивает ногу. Но вроде ничего страшного, — говорит Рита и уводит меня за руку.

Мы идем в сторону. Да хватит уже меня за ручку водить. Я вот-вот скажу грубость. Рита не отпускает и не дает подойти помочь новой знакомой. Она отводит меня от остановки, и буквально сразу, откуда ни возьмись, подъезжает автобус.

Я показываю, мол, поехали, а Рита ведет, не останавливается.

— Не говори обо мне больше. Не рассказывай, ни то пожалеешь.

Автобус не останавливается, лишь притормаживает и проезжает мимо. Люди бегут за ним. Он снова притормаживает, но как только люди догоняют, он разгоняется и едет.

— Давай! — кричит Рита, и мы бежим навстречу автобусу, в сторону остановки за вещами. Бежим, а я понимаю, что вещей с собой у нас нет.

Я вижу, что салон почти пустой.

Водитель останавливается, подбирает несколько человек и снова едет. Затем я слышу скрежет трансмиссии, и автобус сдает задним ходом. Проезжает пять метров, останавливается и снова едет от нас.

Мы хватаем вещи и бежим за ним. Я несу сумки, в обеих руках по тяжелому пакету. И я знаю, что это не наш багаж.

Новая знакомая перелазит через забор. Она на самом деле не хромает. Трубы ограждения на уровне пояса, и девушка без труда перебрасывает через них ноги. Перелазит вместе со своей брезентовой сумкой и раньше всех оказывается у раскрытой передней двери.

Я уверен, что ее сейчас собьют, кричу, чтобы та была аккуратнее.

Автобус перед ее носом захлопывает двери и отъезжает. Девушка даже не расстраивается, бежит следом. Водитель снова останавливается, ждет мгновенье и снова едет.

Девушка догоняет.

Странное дело, сзади автобус точная копия той самой липкой пепельницы, только без хвоста, и вместо металлических толстых лап черные резиновые покрышки на грязных ржавых дисках.

Водитель останавливается, и девушка заходит в заднюю, последнюю дверь, но я понимаю, что дверь средняя. Там всего две двери и мне приятнее думать, что последней нет.

— Я так больше не могу. Когда он скажет? — слышится из автобуса голос плачущей женщины.

Она плачет, и ее отводят на переднее сиденье. Ей обещают, что все вот-вот все раскроется, что Федор Петрович лучший специалист, что просто нужно дать ему еще немного времени. Женщину просят проявить терпение, ее уверяют, что Федор Петрович справится, что ее девочку спасут. Она рыдает, водитель отъезжает, и я больше не слышу их разговор.

Мы с Ритой бежим, но не успеваем на этот старый круглый желтый слон-автобус. Никак не успеваем. И мне уже плевать.

Мы отстаем.

Клуб пыли из-под колес удаляется, а Рита рассказывает, как она не могла освободиться от той девушки из средней двери. Как та своим огромным задом не давала Рите выйти из проклятого автобуса. Обзывала вонючей старухой, плоской дряблой свиньей и даже угрожала оружием. Сначала, конечно, просто хамила, говорит Рита.

— Но после достала пистолет и наставила на меня. — Она складывает пальцы в форме пистолета и показывает, как все было.

Я пожимаю плечами и спрашиваю, чего было не выйти через другую дверь? Зачем усложнять?

— Она же угрожала.

— А до того?

— До того я хотела отстоять свою правоту.

— Отстояла?

Рита смеется.

Ведет меня за собой, слава богу, на этот раз не за ручку. Сворачивает в незнакомый двор и жестом подзывает. Она подозрительно неразговорчива, на нее совсем не похоже.

— Куда мы идем?

Рита молчит и лишь ускоряет шаг.

Заводит в подъезд недостроенного здания, и мы оказываемся в огромной квартире.

Дверь открыта.

Двери, по сути, как таковой еще нет. В квартире стены все в побелке, штукатурке и прочем. По углам на полу, застеленном целлофаном, составлены мешки со стройматериалами.

— Ремонт.

Знакомый запах, знакомые декорации моей прошлой жизни.

Квартира просто огромная. Высокие потолки. Можно студию или магазин открыть. От масштаба я не выдерживаю и говорю «вау».

— Очень много места.

— Отлично! — подбадривает Федор Петрович. — Ты молодец. Опиши подробнее, пожалуйста. Что это за место? Где оно находится?

Что за дела? Откуда в моей голове голос фальшивки? И почему я не могу послать его на хрен и не отвечать? Почему я знаю, что это именно его голос? Он задал вопрос, и я послушно принимаюсь описывать все, что вижу.

В силу профессии, когда я вижу ремонт, представляю сразу завершенный проект. Вижу мешки с цементом и пакеты с грунтовкой. Я знаю, как будет выглядеть стена, когда над ней потрудится рабочий. Знаю, что станет с потолком, как разместится проводка. Могу даже увидеть, как преобразится помещение после мастерской руки дизайнера.

Я повторяю «вау».

Рита перестает улыбаться, и я вижу, как все ее существо содрогается от испуга. Смотрю в ту сторону, куда уставилась Рита, ищу, что ее напугало, и не сразу могу заметить лежащую на полу девушку.

Она лежит на картонке из упаковки от настенной плитки. Молодая девушка. Она лежит и, кажется, смотрит на нас.

Мы подходим ближе, Рита прячется за моей спиной.

— Все хорошо. Молодец. — Навязчивый лжепсихиатр не отстает. — Скажи, пожалуйста, девушка жива? С ней все в порядке?

Хочу прогнать его из своей головы, вытолкнуть наружу. Напрягаюсь, рычу, но ничего не выходит.

С такого расстояния я вполне могу разглядеть лицо девушки. На полу скорчившись постанывает наша новая знакомая. Ее волосы больше не шелковистые. Она больше не хвастается урожаем. Рядом с ней разбросаны шприцы, явно использованные.

Раздается треск, похожий на тот, что издает сухая ветка в бесшумном лесу, и я слышу музыку из соседней комнаты.

— Кто там? — спрашивает Федор Петрович.

— Кто там? — шепчет Рита.

Она показывает на завешенный измазанной тканью дверной проем в соседнюю комнату и сильнее прижимается к моей спине.

— Эй, ты чего? — Носком ботинка трогаю лежащую девушку. — Давай, вставай. Поднимайся. Как же твоя социальная реклама?

Она приподнимается на локте, смотрит на меня, похоже не узнает. Она водит головой из стороны в сторону, видимо, пытается понять, где она.

— Кушать хочешь?

Рита со страхом и недоверием выглядывает из-за меня. Я чувствую, как сильно она напугана. Ее руки оттягивают меня назад. А я совершенно спокоен.

— Вставай, отведу тебя покушать. Ты же проголодалась?

Девушка хочет подняться, но ее шея прикована толстой цепью к штырю на стене. И она, как пес, на четвереньках отползает в угол.

Музыка в соседней комнате становится громче. Я сажусь возле новой знакомой.

— Кто там? — показываю в сторону, откуда доносятся звуки. — Скажешь? Я помогу тебя освободить.

Я спрашиваю, но ответа не получаю.

Говорю Рите ждать меня здесь и иду заглянуть, откуда играет музыка. Наша новая знакомая говорит, чтобы я этого не делал. Вернее, она в бреду повторяет, чтобы не делал этого. Не делай этого. Не делай...

Но я иду.

Приоткрываю занавеску, отгибаю целлофан и заглядываю.

Музыка бьет по ушам. И сквозь металлическую сетку, сквозь мелкую ромбовидную неровно сплетенную поржавевшую сетку я вижу весь отряд, всю стаю плюшевых медвежат. Их пухлые мохнатые рожицы то приближаются, то отдаляются в такт ударов музыки.

От ужаса хочу закричать. Но не могу.

За отрядом, в самом центре, лежу я. Вижу, со стороны, как лежу на боку, скрючившись, и прижимаю к груди колени. Точно так же, как лежала на картонной подстилке наша новая знакомая.

Смотрю через решетку на медведей и не могу отвернуться. Пальцы непроизвольно сжимают стальные прутья.

«Не говори никому! Пожалеешь!»

Я стараюсь закрыть глаза. Веки не подчиняются. Не могу ни отвернуться, ни зажмуриться.

— Хватит!

Слышу чей-то спасительный голос.

Это мой отец. Это его голос.

Мне удается зажмуриться. Звуки мгновенно рассеиваются, остается лишь звон в ушах.

Я резко открываю глаза и вижу, что греюсь рядом с папой, под пушистым одеялом. Как в детстве. На одной кровати. Пока мама готовит завтрак, я пробрался и прилег к отцу. Спокойно и уютно. С кухни доносятся мелодии скворчащего теста на сковороде, запах блинчиков с корицей, журчание воды в раковине.

— Он давно умер, — говорит Рита.

— Он давно умер? — спрашивает Федор Петрович.

Я этого не знаю.

Но сейчас он спит со мной рядом, и его тепло... Он снова молодой, а я ребенок. Я зову папу, прошу объяснить, что все это значит, а он резко встает, подрывается, как атлет, подпрыгивает словно гимнаст на батуте и садится на край. Не со своей, с моей стороны кровати, садится и смотрит в пол. Я сажусь рядом.

— Отец? Эй. Ты чего?

Он не отзывается, рывком поворачивается и набрасывается на меня. Я падаю на спину. Голова врезается во что-то твердое. На том месте, где я ожидал подушку, что-то острое и угловатое. Мы боремся. Я подтягиваю колени, упираюсь ногами ему в живот и поднимаю огромное тело над собой. Он тяжелый. Он просто гора мышц. Он еще крупнее и сильнее, чем казался мне в детстве. Он тычет скрюченными пальцами мне в лицо.

— Отец?

Я зову, но он не отвечает.

Продолжаем бороться.

Мне не уцелеть в этой схватке. Силы не равны. Я готов сдаться и умереть. Его пальцы замирают на моих щеках. Еще секунда — и отец вцепится в мою шею, еще секунда — и я задохнусь в стальных тисках отцовских рук.

Его пальцы не двигаются.

Он останавливается, он не хочет меня придушить. Крепкие руки держат мое лицо. Я перестаю барахтаться, мои ноздри ритмично выдувают воздух, сердце колотится, глаза смотрят на болезненно вздутые вены на широкой отцовской шее.

Он удерживает мою голову, и я понимаю, он хочет меня предупредить, хочет что-то рассказать.

Я больше не боюсь.

Поднимаю глаза, пробегаю взглядом по чернявой, без единой сединке бороде, по ровно отчерченному носу. Наконец, я вижу, что у него заклеено лицо. Старый потрепанный тканевый пластырь опоясывает голову в том месте, где должны располагаться брови и глаза.

Мороз по коже.

Я хочу снять его повязку, но мои руки не подчиняются. Их словно кто-то пришил к кровати, пальцы тянут на себя простынь, ногти впиваются в матрац, и я не могу пошевелиться.

Лицо отца приближается, и я вижу, что ниже идеально ровного носа нет рта, на коже, без единой морщинки, чисто выбритый островок, посреди густой бороды.

Он шевелит подбородком, мычит, но не может произнести ни слова.

Я распрямляю колени, сбрасываю тело на пол. Оно звучно бьется о скрипучие доски.

— Не говори обо мне больше... Пожалеешь.

Я задыхаюсь.

Тело бьется в судорогах. Спина самопроизвольно изгибается. Суставы выкручиваются и извиваются, словно у меня нет костей. Я теряю сознание, но мне совершенно не страшно. Я спокоен. Я смотрю за происходящим со стороны.

— На счет три ты очнешься, — раздается встревоженный голос фальшивки.

— Раз.

Я парю под потолком. Смотрю на залитую кровью комнату. На кровать, в которой я извиваюсь, как на сеансе экзерциста.

— Два.

Комната кружится.

Капли крови разлетаются в стороны. Кровавая карусель, водоворот липкого красного аттракциона. Жуткий, уродливый перформанс больного на голову художника.

Спектакль смерти, на котором у меня билет в первом ряду.

— Три!

Голос приказывает, и я открываю глаза.

На столе стоит полный стакан с водой. Липкая пепельница, рядом моя пачка сигарет.

Напротив сидит взволнованный мой фальшивый психиатр и торопливо что-то записывает. По сторонам все так же сидят и смотрят на меня с ненавистью зрители затянувшегося допроса.

Чувствую себя опустошенным. Словно кто-то вытащил из меня все внутренности, выпотрошил всего без остатка, а затем небрежно запихал их на место.

— На сегодня достаточно. Прервемся.

Федор Петрович дает отмашку, и меня уводят из помещения.

* * *

— С меня хватит! Чтобы я еще хоть раз для них что-нибудь. Даже пальцем не пошевелю.

Рита злится.

Она импульсивная. Она быстро взвинчивается, распаляется и потом все... Не может угомониться, пока что-то не разобьет или не сломает.

— Уму непостижимо. Это же натуральное свинство!

Она расхаживает по кухне, машет руками и ругает все и вся на чем свет стоит. Похоже, с ее ночными посиделками покончено. Сегодня что-то пошло не так, она вернулась не в духе, и меня, признаться, это радует.

— Чего молчишь? Хочешь сказать не согласен? Хочешь сказать, так можно себя вести?

Я не могу понять, что так взбесило Риту. Слишком много слов. Среди ее ругательств и проклятий в адрес подружек-близняшек я могу разобрать лишь, что сестры художницы чем-то расстроили, чем-то не угодили Рите.

— Ну! Скажи-скажи!

Я пожимаю плечами, вздыхаю и понимающе киваю. Хотя ничего не понимаю. Ничего, начиная с того, что можно ночами делать в компании сестер-художниц.

Она садится ко мне на колени, обвивает мою шею, прижимается к плечу, и со словами, что только один я ее могу понять, называет меня криволицым. Наверное, сейчас я должен обидеться, но из уст Риты криволицый звучит как комплимент, и я продолжаю гладить ее по спине.

Я привык, что Рита не ночует дома. Привык слушать рассказы о ее веселых посиделках и новых знакомых. Привык к ее резким сменам настроения, но все еще не могу привыкнуть, что ее объятия и поцелуи ничего не значат и ни к чему не обязывают.

Просто друзья?

Дожевываю бутерброд, натягиваю костюм медведя и топаю на свой рабочий участок.

Приходится около часа добираться от дома до рабочего места. Это недолго в обычной ситуации. Но в костюме огромного медведя все усложняется.

Трамвай еле тащится, минута растягивается в вечность. Все пассажиры смотрят только на меня. А я еду без билета, и не дай бог, контроль.

Вагончик лениво останавливается, наконец выхожу. Неуклюже задеваю дверной проем, медвежья голова достойно защищает.

Иду через дворы, к центральному проспекту. Мимо булочной, мимо гостиничного комплекса. Спускаюсь ниже по улице, за банком, возле которого территория огромного плюшевого слитка, рекламирующего новый ювелирный салон.

Моя зона.

Два квартала по проспекту и угол слева через дорогу. Там большое количество людей, там метрах в десяти вход в метро, там полно бомжей и есть ларек с кофе и вафлями.

Без четверти десять.

Я пришел на пятнадцать минут раньше положенного. За дополнительное время мне никто не заплатит, а вот если опоздаю, по условиям, мне не зачтут пол рабочего дня.

Я стою, опираюсь о фонарный столб. Аркадий ждет проверяющего.

В любой момент к нему, ко мне, может подойти специально обученный человек и проверить, во сколько медведь вышел на работу.

Аркадий сканирует прохожих. Кто из них проверяющий? Который? А я хочу покурить.

Ровно в десять часов словно из-под земли выныривает паренек. Молодой совсем. По виду только школу окончил. В ухе у него дыра размером с большой палец и в нее просунута сережка. Хотя сережкой эту штуку сложно назвать, пробка от бутылки вина, подкрашенная зеленым. Слово затычка лучше сюда подойдет, чем сережка.

— Доброе утро, медведь. Вовремя, косолапый, отлично. — Этот гад насмехается надо мной.

Меня бесит его надменный тон. Он начальник, он важный, он издевается, чувствует превосходство.

Я не отвечаю, Аркадий тоже молчит.

Мальчишка тыкает стилусом в своем планшете. Похоже, ему не просто справляться с устройством. Без конца причмокивает, недовольно кривится, как старушка, которой показали, как пользоваться новым телефоном, но она ничего не запомнила. В итоге убирает планшет, записывает что-то в блокнот и протягивает мне флаеры.

Протягивает стопку и поучает, не дай бог, мне не все раздать или выбросить в помойку его драгоценные рекламные листовки.

Смотри мне, говорит, не разочаруй. По-свойски, паршивец, стучит меня кулаком в плечо и уходит.

Аркадий смотрит вслед надменному проверяющему. И как только тот скрывается за поворотом, большая часть стопки складывается в ближайшую урну. Остальные Аркадий раздаст за час.

Сильнее унижения, чем работать ростовой куклой, Аркадий никогда не испытывал.

У-ни-зи-тель-но. Унизительно чувствовать себя посмешищем, раздавать разноцветные бумажки с картинками нового магазина косметики и обнимать веселящихся детей.

Унизительно.

Да еще ничего не видно, через мелкую сетку в беззубой пасти, трудно двигаться и в придачу дышать нечем.

Хочешь похудеть? Две недели под палящим солнцем, на оживленном проспекте, среди снующих людей, в костюме огромного зверька, и минус пять, а то и все десять килограммов гарантировано.

Возможно, благодаря новому костюму мои лицевые мышцы быстрее восстанавливаются. Брови больше не свисают над глазами. Щеки и рот практически вернулись на свои места, но на здорового человека Аркадий все еще не похож. А я все еще хочу курить.

Аркадий идет.

Пошатываясь, переваливается с ноги на ногу. Таковы условия. Аркадий должен передвигаться только таким способом. Тогда голова куклы болтается, и для прохожих выглядит, будто медведь пританцовывает.

Без слов Аркадий протягивает бумажную рекламу каждому встречному. Кто-то берет, но чаще просто отворачиваются и проходят мимо. Для тех, кто взял флаер, Аркадий машет на прощание лапой и двигает мохнатой головой из стороны в сторону. Таковы условия.

Не ради денег, не ради расположения Риты, но ради себя. Аркадий терпит.

Если ты собрался стать профессионалом, не подделкой, а настоящим подражателем, ты обязан соблюдать все условия, как бы тяжело и противно ни было.

Аркадий идет. Вдоль проспекта. Вдоль витрин. Пошатывается и переваливается.

Я смотрю на его отражение в стекле. Веселая кукла, которая движется вприпрыжку на фоне манекенов с нижним бельем, мимо стеллажа с парфюмерией, мимо полок с модной обувью и дорогими сумочками.

Голова на самом деле забавно болтается. Я смотрю на отражение Аркадия в костюме, и улыбка растягивает мои обвисшие щеки. Мышцы болят, кожа на лице чешется, до щекотного чешется, но чтобы почесать, нужно снять костюм. Нельзя. Нет.

Ничего, Аркадий потерпит.

Останавливаюсь у витрины с телевизорами. С каждого экрана на меня смотрит ведущий, что-то произносит и запускает криминальный видеоряд. Полицейские машины, ограждающая лента, экипажи «Скорой помощи», пожарная команда — все как всегда.

Я захожу в магазин.

По условиям, мне запрещено уходить с проспекта, тем более заходить в магазины. Но любопытство пересиливает, ничего не могу с собой поделать, и я встаю напротив экранов.

С большого, плоского, с маленького на полке, с каждого развешенного по углам ящика, синхронно транслируют один и тот же репортаж. Новые жертвы. Паника. Город в страхе.

На этот раз пострадали две девушки. Им, как и первой жертве, изуродовали тела и срезали лица.

Сомнений нет, в городе орудует маньяк.

Описания убийцы пока недоступны, но психологи ведут работу, и в ближайшее время следствию предоставят детальный предположительный психологический портрет маньяка.

Есть вероятность, что он не один.

По заявлению следователя, вполне вероятно, что у преступника есть сообщник, возможно, это целая группа преступников, возможно, в городе орудует секта.

Глава администрации города заверяет, что все силы полиции и спецслужб направлены на поимку преступника.

Возмутительно! И одновременно восхитительно. Аркадий растерян, возможно напуган, но не я.

Мне интересно, чем закончится переполох с маньяком.

— Эй... Эйкхм... — продавец то ли прокашливает горло, то ли обращается ко мне.

Ловлю на себе его испуганный взгляд. Низенький, щупленький продавец телевизоров смотрит на меня, я на него. И я понимаю, что голова медведя у меня в руках, что Аркадий стоит без маски, что все вокруг видят мое, его лицо, вернее, то, что находится на месте, где должно быть лицо, и понимаю, что Аркадию пора бы отсюда уйти.

Наспех надеваю плюшевый шлем и выхожу на улицу.

По возможности, избегайте прогулок в темное время суток, не оставляйте детей одних дома, избегайте неосвещенных участков города. Просит голос ведущего, и я закрываю за собой дверь.

Аркадий продолжает раздавать флаеры, а я мечтаю окунуться в эпицентр расследования.

Головокружительные переживания, опасности, прогулки по острому лезвию. Быть поближе к событиям, всколыхнувшим город. Пусть даже в роли жертвы. Пусть убийца срежет мое лицо. Сейчас не жалко. Пусть маньяк срежет, пока я сам себе не отрезал его.

Вечером тороплюсь домой. Широкими шагами несусь от остановки к дому. На этот раз я в курсе последних событий. Будет, о чем с Ритой поговорить.

Как же я рад, в нашем городе поселился настоящий маньяк. Интересно, как Рита на этот раз отреагирует. Может, предложит переехать, удрать? А может, мы с ней вместе займемся расследованием?

— Эй, медведь!

В темноте не могу разглядеть, кто ко мне обращается. Но судя по тону, ничего хорошего ждать не приходится.

— Постой! Куда побежал?

Не знаю куда. Вперед. И я не хочу бежать, но Аркадий изо всех сил пытается разогнать тяжелый плюшевый костюм.

— А ну стой, толстожопый!

Фраза прерывается ударом в спину, и Аркадий валится на асфальт. Я чувствую, как Аркадий боится, как ему больно от падения, несмотря на мягкий костюм. Как ему хочется закричать, но он не может.

— Деньги гони, Усэйн Болт недоделанный! Живо!

Я разочарован. И поведением Аркадия, и личностью нападающего. Это не убийца. Рядовая шпана, мелкий воришка.

Крепкая рука переворачивает Аркадия на спину. Аркадий жмурится, готовится к удару.

— Мне еще раз повторить? Или вот это тебе поможет быстрее соображать? — нападающий достает нож и приставляет лезвие к шее Аркадия.

Я чувствую, как трясется тело. Аркадий готов расплакаться, он не может пошевелиться.

— Ты больной или глухой? — нападающий стаскивает маску медведя и отбрасывает ее в сторону.

— Твою мать, он ненормальный. Брось его, — раздается писклявый голос.

— Фу, бля. Ты себя в зеркало видел? Шарпей ходячий.

Нападающий отскакивает в сторону, убирает нож и брезгливо обтирает руки о штаны.

Второй начинает смеяться. Он без остановки хохочет и просит Аркадия не хмуриться.

Писклявый голос бьет ботинком в живот лежачего, плюет на плюшевую жертву и уходит, прихватив с собой голову медведя.

— Крепись, шарпей, — доносится на прощание из темноты.

Аркадий не поднимается. Он лежит на асфальте, оплеванный. И он даже не злится. Ему не обидно. Он даже не расстроен. А я все еще хочу курить и наконец, маски нет, закуриваю.

Из темноты доносятся крики. Кто-то зовет на помощь, плачет. Наверное, воры нашли себе новую жертву. Наверное, эта парочка отнимает у несчастного кошелек.

Аркадий смотрит в ту сторону, откуда доносится крик, а я выдуваю колечко дыма в ночное небо.

* * *

— Что с тобой? Ты какой-то бледный.

На пороге меня встречает Рита.

Она вертится возле зеркала, примеряет кофту. Я говорю, что все нормально, просто потерял голову медведя и поэтому расстроился. Говорю, что лучше посижу несколько дней дома, пока лицо не восстановится.

— Ладно. Вернусь, обсудим.

Она обувается, чмокает меня в щеку и выходит.

— Ты куда? Что случилось?

Рита возвращается, смотрит мне в глаза.

— А ты не знаешь?

— О чем?

— Убийство!

— Да, — оживляюсь. — Конечно знаю. Я же новости смотрел, готов с тобой обсудить.

— Близняшек убили.

Рита говорит, что ей только что позвонили. Что ее шокировали. Она говорит, а Аркадий не может отразить на лице ужас.

Рита говорит, что те новые жертвы, это ее подруги сестрички. Говорит, что теперь она должна срочно ехать, что она должна быть там и помочь.

Она еще раз чмокает меня в щеку и закрывает за собой дверь. Я слышу, как щелкает старый скрипучий замок. Аркадий смотрит через глазок, как Рита спускается по лестнице, а я планирую сменить наконец входную дверь.

Сажусь перед зеркалом. Проверяю записи.

Стараюсь не замечать изуродованное отражение Аркадия. Просто читаю пометки и настраиваюсь на занятие.

Нужно продолжать тренировать мышцы. Собрался стать профессиональным подражателем, тогда садись и тренируйся.

Сжимаю нос кончиками пальцев, не до конца, так, чтобы для вдоха нужно было приложить легкое усилие. Делаю медленный глубокий вдох.

Странное дело, только утром Рита проклинала сестричек, а когда выяснилось, что с ними беда, спешит на помощь.

На ее месте я бы радовался, поделом им.

Напрягаю ноздри. Замираю, досчитываю до пяти и протяжно выдыхаю через рот. Слежу, чтобы лоб и брови Аркадия не шевелились. Массирую языком щеки изнутри и снова глубокий вдох.

Интересно, кто же ей позвонил? И самое главное куда? Телефона у нее нет, а мой домашний давным-давно отключен за неуплату.

Открываю рот как можно шире. Аркадий не любит это упражнение. Оно причиняет ему боль. Открываю рот и как можно ниже опускаю челюсть. Аркадий щурится. Слежу, чтобы голова не опускалась вниз. Считаю до пяти, закрываю рот.

А вдруг у нее есть телефон, и она просто не хочет давать мне номер? Просто не хочет, чтобы я названивал.

Встаю со стула, выхожу на балкон.

Перерыв.

Я запланировал каждый день выполнять минимум по пятьдесят раз каждое упражнение. Это занимает много времени, и Аркадий не выдерживает. Приходится делать перерывы и чередовать пункты, делать чайные паузы и обдуривать ленивого Аркадия. От частых повторений у него то мышцы сводит, то голова начинает кружиться.

Мне стоит больше доверять Рите. Может, она только сегодня купила мобильный. Или есть еще какие-нибудь разумные объяснения.

Закуриваю.

Есть забавное упражнение. Я его записал на зеркале, как «карандаш». Смысл упражнения в том, что нужно крепко сжать карандаш губами и, не двигая головой, выписывать в воздухе слова. Любые слова, свое имя, например, или просто отдельные буквы.

Теперь, каждый раз, когда выхожу покурить, делаю «карандаш». Прямо сигаретой, зажатой во рту. Выписываю в воздухе отрывок из поэмы «Крестьянские дети», который с детства помню наизусть.

«Однажды, в студеную зимнюю пору...». Главное, не забыть курить. А то сигарета догорит, а ты не накурился.

Стою на балконе, совмещаю приятное с полезным. И где-то возле строк, о лошадке с хворостом, я нечаянно обжигаю окурком нос Аркадию.

Совсем чуть-чуть.

А он прыгает на месте, пытается выплюнуть сигарету. А фильтр прилип к губе, а я все еще не накурился.

Возвращаюсь к зеркалу.

Ночь длинная, мне предстоит потрудиться.

Я натягиваю пальцами кожу на висках и не могу понять, правильно ли я поступил. Может, стоило поехать с Ритой.

Рукав пахнет табаком.

— Может, я ей сейчас нужен? — говорим с Аркадием хором. И мне удается улыбнуться.

* * *

— Что такое СМИ? Задумайся. Тебе кажется истиной откровенное вранье, смешанное с долей правды, приправленное неоспоримыми фактами и поданное на украшенном разноцветными цветочками блюде.

Уверенным движением сильная рука разрезает веревку и освобождает голову. Теперь жертва может осмотреться и увидеть весь ожидающий ее ужас.

— Даже если ты считаешь иначе, я знаю, что это все равно так. Не сомневайся. Я-то уж знаю... Ты уверен, что способен распознать где правда, а где ложь, но как раз здесь и кроется главный обман. В этой уверенности тебя и поимели.

Мужчина смотрит по сторонам, мычит.

Он связан по рукам и ногам, его тело распято. На соседнем столе сочатся кровью останки другого тела.

— Хорошо, что ты пришел в себя. Вовремя. Спасибо. Согласись, только сумасшедший станет сам с собой разговаривать. А я люблю поговорить, ненавижу тишину. Так что спасибо.

Под столом натекла большая лужа. Рядом разбросаны разорванные вещи. Мужчина узнает эту одежду, он ее помнит. Сомнений быть не может, рядом труп его знакомого.

Тело его друга.

Мужчина хочет отвернуться, но предательские глаза упрямо осматривают растерзанные ошметки.

Возле стола стоит серый мусорный пакет, возле него собраны ровной кучкой куски плоти, осколки телефона, ключи, часы, клочья волос.

Не получается увести взгляд, и он замечает, что тело его знакомого без лица. Лицо отрезано. Голова напоминает небрежно расколотый и выпотрошенный арбуз, к которому приклеили парик.

Мужчину рвет, блевотина упирается в тряпку, набитую во рту, застревает в горле, приходится откашливать и глотать. Недопереваренные кислые остатки просятся наружу, и его снова рвет, и он снова глотает.

— Тебе показывают с экранов то, что им выгодно. А ты веришь... Смотришь, слушаешь, запоминаешь, веришь и потом начинаешь повторять за ними.

Жертва мычит, кляп мешает говорить. Он видит, что берет с подставки рука мучителя, и через ноздри вместе с соплями вырываются звуки «нет», «не надо», «пожалуйста».

— Не спорь. Тебе промыли мозги. Я знаю. Со мной так же было. Но потом истина открылась.

— «Нет». «Пожалуйста». — Мужчина морщится, его глаза блестят, ноздри раздуваются.

— Вот ты болтун. Хочешь поговорить?

Жертва кивает. Он сопит, его лоб покрывается потом, и он кивает. Ноздри пузырятся и кричат «Да».

— Ладно. Только не мычи... Расскажи, как ты по ночам нападал на беззащитных людей и обворовывал их. Не мычи! Расскажи, как издевался над слабыми.

Рука откладывает молоток и в одно движение, острым лезвием разрезает тряпку, закрывающую рот. Разрезает вместе со щекой.

Кровь вперемешку с блевотиной сочится из раны. Вместе с жидкостью изо рта мужчины вытекает крик.

— Замолчи! Молчать!

Молоток снова в руке, и жертва умолкает.

Губы плотно стиснуты.

Щека раскрывается от каждого вздоха, словно ракушка, словно жабры выброшенной на берег рыбы, но мужчина не кричит.

— Так, что для тебя значит аббревиатура СМИ? Что, по-твоему, подразумевается под фразой «воздействие СМИ на человека»?

— Отпусти меня. Пожалуйста. — Его голос дрожит. Он старается говорить тихо, старается сохранять спокойствие.

— Эй! Ты собрался общаться или ныть? Мне завязать?

В руке появляется тряпка.

— Нет-нет. Пожалуйста... СМИ — мерзость. Они нас дурят, ты права. Ты во всем права. Не надо, прошу. Умоляю...

— Фу. Ты скучный. С тобой не о чем разговаривать. — Она отворачивается и что-то берет с полки. — Ты, наверное, разговорчивый только ночью и только в компании со своим другом...

— Нет-нет, пожалуйста!

— Выбирай. — Рита расстегивает жертве брюки. — Язык или член?

— Сука! Не надо! Больная тварь! Отпусти! — Он истерически кричит, бьется, извивается на столе.

Но лицо Риты абсолютно спокойно.

Она показывает щипцы и просит открыть рот.

Наклоняется над столом, показывает, чего хочет от жертвы. Как детский врач, широко открывает над ним рот и говорит: «Скажи «А».

— Убери от меня руки! Тварь! Отпусти!

Она говорит ладно и без колебаний сжимает кусачками член жертвы. Она говорит, чтоб не винил ее, говорит, это его личный выбор, говорит, что и сама не хотела бы так.

Рука давит на рукоять, кровь стекает по ноге мужчины, колени трясутся, и он громко кричит «А» и высовывает язык.

— Ну вот. Молодец. — Рита улыбается. — Так бы сразу.

Не спеша она оттягивает пальцами кончик языка и подносит щипцы так, чтобы жертва могла хорошенько их рассмотреть.

— Не бойся. Я чуть-чуть. Совсем немножечко.

Она уносит часть языка и складывает в пакет. Мужчина корчится от боли. Сплевывает кровью и мычит.

— Вот видишь? Мне совсем не нужен весь твой грязный язычок. Частички достаточно, чтобы ты перестал молоть чушь.

Мужчина плачет. Слюни стекают по подбородку. Ногти впиваются в неровную деревянную столешницу.

— Вот смотри. — Она продолжает как ни в чем не бывало. — Нам внушают абсолютно все. Абсолютно. Но вот что интересно. А как же инстинкты? Инстинкты-то врожденные. А что, если они тоже не что иное, как навязанная ложь?

Рита возвращается к пленнику.

— Не думал на эту тему?

Мужчина не отвечает. Он лишь сипит, хрипит, плачет и уворачивается.

— Не думал... Понятное дело. Ты, наверное, редко думаешь? Наверное, каким-то спортом увлекаешься. Так? — Рита вытирает руку от крови об волосы пленника. — Развяжи тебя, эх как бы прытко побежал. А? Усэйн Болт недоделанный.

Она разочарованно вздыхает и отходит в сторону.

— Представь на секунду. Только представь. Что, если твой так называемый инстинкт самосохранения не что иное, как заблуждение? Вот что тогда? Нет. Не надо. Не отвечай.

Она обходит с другой стороны стола, гладит мужчину по ноге, по другой, по животу, по плечу. Мужчина не спускает с Риты глаз.

Она говорит, что уже знает, что тот ей ответит, что уже нет смысла спрашивать и ждать здравого ответа. Говорит, что знает, если сейчас она развяжет ему руки, он не побежит, нет-нет, он набросится и постарается ее убить. И это, она говорит, не что иное, как навязанная модель поведения.

— Ими навязанная модель. Теперь-то ты понимаешь? Для собственной безопасности я не могу тебя развязать.

Мужчина мотает головой. Умоляет отпустить. Он мычит, старается хоть что-то сказать, но выходит лишь бульканье и стоны.

— Нет-нет. Даже не начинай. Я не верю. Я знаю, какой ты хитрый. Все вы хитрые. Но я хитрее.

Она берет ножницы. Прячет их за спиной.

— Не переживай. Самое страшное уже позади. — Она наигранно хлопает ресницами и вытирает подтеки крови с подбородка жертвы. — Скажи, а как тебя зовут? Нет-нет, не отвечай... Не надо. Пускай тебя зовут Слава. А? Вячеслав.

Рита улыбается. Она говорит, да, Слава хорошее имя, говорит, что как раз отлично ему подходит.

Она гладит живот Славы.

— Ты же не против, если буду тебя так называть? Нет, не против?

Мужчина кивает. Мол, называй как хочешь, только развяжи.

Он мычит «угу».

— Ой, как славно, Слава. Я тебя отпущу, Слава, обещаю. Славно поболтаем, и освобожу. Идет?

Раздается короткий металлический скрежет ножниц, крик мужчины заполняет комнату, а Ритин пакет с отходами пополняется кусочком члена жертвы.

— Ну все-все. Перестань. Тишь-тишь. — Она дует в ухо распятому. — Где, как ты думаешь, правда? В исторических документах? Нет. Я так не считаю. Испокон веков человек не знает ничего. Ни о себе, ни об окружающем его мире.

Она берет в руки газовую горелку.

— Ну хватит орать! Слава, хватит. Если не согласен насчет исторических документов, это твое право, я же не настаиваю. У каждого может быть свое мнение. Но не смей на меня орать! Молчать!

Рита достает из кармана зажигалку, проверяет искру. Она говорит и говорит. По своему обыкновению болтает без умолку.

Говорит, что общество делает из нас тех, кто мы есть. Говорит, что патриотизм — очередное надувательство. Говорит, где родился, те привычки и перенимаешь.

Зажигалка щелкает, и огонь вырывается из газовой горелки.

Она говорит, что человек, после промывки мозгов, так себя ведет, так себя ассоциирует, как ему скажут. А скажут ему так, как будет выгодно, и скажут те, кому это выгодно.

— Корней нет, — перебивает Рита сама себя. — Понимаешь, Слава?

Запах паленой кожи заслоняет запах строительного растворителя. Жертва корчится от боли и на его боку обугливается кожа.

Рита говорит, равенство и конкуренция тоже навязаны. Мужчина кричит, а Рита спокойным тоном продолжает рассуждать.

— Русские, родившиеся в США, — американцы до мозга костей...

Кожа прогорает, уже видны белые кости. Крик переходит в визг, в рык, в хрип, в стон.

Рита принюхивается. Старается уловить каждую нотку запаха, словно выбирает новый парфюм в бутике. Она водит носом и продолжает болтать.

— Китаец, — говорит она, — выросший в Мюнхене, не имеет ничего общего с ровесником, воспитанным в Пекине.

— Слава. Ты что, покакал? — Она удивленно разводит руками. — Фу, Слава. Как не стыдно? Большой мальчик уже...

Горелка впивается в другой бок, кожа плавится, и мужчина с новой силой кричит от боли.

Рита говорит, у людей больше нет корней, и высыпает щепотку соли на обожженную рану пленника.

Мужчина продолжает кричать. А Рита продолжает почти шепотом.

— Гражданин мира, скажешь? Модно сегодня себя так называть. А? Не правда ли? — Она садится на край стола, тушит горелку и бросает баллон на пол. Горелка приземляется с липким бряканьем в свежую алую лужу.

Она проводит отверткой от пупка до кадыка, аккуратно, чтобы не задеть обожженные края кожи. Останавливается на яремной впадине. Секунду примеряется и, как гвоздем, прокалывает насквозь шею жертве.

Глаза Славы увеличиваются в размере, он двигает губами, но вместо звуков изо рта вываливаются сгустки крови. Рита фиксирует отвертку и прибивает молотком острие к столу, словно к кресту.

— Я патриот планеты Земля? Я землянин, не имею ни расы, ни нации? Молчишь... Все? Нечего ответить?

Рита берет нож для чистки овощей и подвигает ближе пакет с отходами. Она не замечает стонов жертвы, ее не смущает ни кровь, ни вонь. Она начисто вытирает руки и садится поудобнее.

— Назовем это — всемирное помешательство. Слава, ты не против, что я так? — Она хихикает. — Целый вечер определения раздаю.

Как кухарка, как повар, Рита убирает волосы со лба и приступает чистить кожу, словно картофельную кожуру.

— Гражданин мира ваш, тоже заблуждение. Обман. Такой же, как и прочие ваши выдумки. — Рита шепчет себе под нос, грустно вздыхает и впивается ножом в ногу без кожи.

Мужчина больше не сопротивляется. Он больше не мычит, не изворачивается. Он больше не дышит. А Рита все говорит и говорит.

Мешок с частями Славы крепко завязан и поставлен возле стола. Слава теперь возле кусочков своего друга, возле надписи на стене, возле Ритиного послания всему человечеству.

Завтра утром полиция найдет тела. Осмотрит место преступления. С голубых экранов пообещает быстро разыскать и обезвредить убийцу.

Завтра.

А сегодня Рита вместе с двумя лицами в сумке едет обратно в город. Она покупает билет. Она пробирается по освещенным тротуарам к своему дому. Через людные улицы, подальше от темных закоулков.

Она поднимается на лифте. Она собирается поужинать. Она принимает теплый душ.

Рита бережно раскладывает трофеи на полке.

Натягивает срезанные лица, вымоченные в формалине и авторском рецепте бальзамических химикатов, на пластиковые головы манекенов.

Пока сырые, лица выглядят ужасно. Можно сказать, уродливо. Кожа сползает с пластиковых заготовок, тает, как парафин. Но как подсохнут, другое дело. Словно живые, головы глядят на тебя с полки, пустыми глазницами, погружают в приятные воспоминания.

Пропитанные и замаринованные в авторском средстве лица больше не воняют грязными людьми. Напротив, из шкафа пахнем чем-то приятным, чем-то сладким.

Ирисками.

Замок с характерным звуком защелкивается. Рита дергает дверцу за ручку, проверяет.

Шкафчик надежно заперт.

* * *

— Я забрал деньги. И официально уволился в очередной раз. — Подвигаю стакан ближе и кручу его по столу. — Проверьте. Это же легко проверить.

Хочу приподняться на стуле и показать рукой в записи.

— Разве нет?

— Не отвлекайтесь, рассказывайте. — Федор Петрович жестом показывает, не вставать. — Все, что нужно, уже давно проверили и записали.

Федор Петрович выдавливает из себя улыбку. Я чувствую, как ему противно притворяться, как нелегко следовать инструкциям.

Я все еще стараюсь потянуть время, но это не просто. Оказывается, я не готов к такому, для меня это слишком утомительно.

Еще чуть-чуть, и признаюсь в чем попросят. В чем угодно. Сознаюсь во всех смертных грехах.

— Спросите что-нибудь конкретное. Я устал. Больше не могу. Я уже не знаю, чего вы от меня ждете. Что хотите услышать?

Я сдаюсь.

Публика замирает. Кажется, даже не дышит.

Уверен, сейчас Федор Петрович мысленно потирает ладони. Дай ему волю, расползся бы в широчайшей искренней злорадной улыбке.

— Возможно, вы готовы сделать заявление? — Психиатр глазами ищет одобрения собравшихся.

Вот оно.

Свершилось. Наконец настало. Минута торжества справедливости и врачебной методики.

Как ловко он, специалист, расколол преступника. Инструкции сработали. Дело закрыто.

— Может, хотите подписать признание?

— Да, черт побери! Давай, все подпишу! — срываюсь на крик. — Только вот я никого не убивал! И не знаю, как еще мне вам доказать?

Я не виноват!

Ладонь горит от боли. Не рассчитал и с такой силой ударил об стол, что стакан перевернулся и остатки воды растеклись мне на ноги.

— Спокойно. Не нервничайте. Давайте выдохнем. Давайте все сейчас успокоимся... — Он вскидывает ладони вверх и делает долгий выдох. — Давайте по порядку.

Я двигаю пальцами под столом, от удара рука немеет, но я не хочу показать, что мне себя жалко.

— Да спроси прямо. Спроси уже... Прямой вопрос — прямой ответ. Зачем тут вся эта моя лирика?

— Не надо переживать. — Федор Петрович бегает по залу глазами. — Давай продолжим говорить. Может, хочешь высказать предположение... Кхм. — Он явно намерен поскорее сменить тему.

Он как опытный рыбак, как охотник. Он не торопится, он действует наверняка.

— Почему полицейские нашли все жертвы, кроме самой первой?

Странный вопрос. Откуда мне знать? Он хотел ошарашить, сбить меня с толку? Удалось. Не знаю ответ. Я же не убийца. Нашли все, кроме самой первой... Может, они плохо искали?

— Откуда я знаю? Может, вообще нет первой жертвы?

— Не надо вилять. Мы же все прекрасно знаем, что есть. Мы поэтому здесь и собрались. Девушка похищена, и это факт. Смешно отрицать. Так же факт, что она все еще жива.

— Откуда такая уверенность? — Я наигранно морщу лоб. — Если она в руках Риты, тем более первая, то скорее всего уже не жилец. Я знаю Риту, она прикончила ее.

Федор Петрович роется в своей сумке, что-то ищет.

— На месте последнего преступления, — он достает из сумки конверт, — следствие обнаружило очередную надпись. — Он протягивает мне несколько фото. — Вот. Надпись сделана кровью. И установлено, что кровь как раз той девушки. — Он перелистывает фото, показывает девушку. — А значит, ты, — психиатр быстро поправляется, — вернее, значит, убийца сохранил ей жизнь, и она сейчас в плену.

Вот теперь все понятно.

Все встает на свои места. Теперь ясно, почему меня все еще допрашивают, почему возятся со мной.

Они надеются с моей помощью отыскать пропавшую. Вот зачем все расспросы про адрес.

Все это время, пока я здесь тяну резину, Рита где-то истязает пленницу. Уже третьи сутки тяну. Лишние третьи сутки девушка в руках маньяка.

Время больше не работает на меня. Время теперь враг. Я не хочу, чтобы из-за моих промедлений кто-то еще пострадал.

Пусть меня посадят, но я хочу помочь. Вот только чем?

— Я хочу помочь!

— Если ты поможешь, учти, следствие это примет к сведению. Это позволит изменить...

— Скажите, как! Как? Я не знаю, клянусь!

Федор Петрович показывает, чтобы я не волновался.

— Хочешь конкретный вопрос? Пожалуйста. — Он листает журнал, находит старую запись. — Вот. Ты говорил, Рита странная. Пожалуйста, будь любезен, расскажи нам. В чем ее странность?

Черт побери, эта фальшивка снова переходит на «ты». Это должен быть хороший знак, это означает, что сейчас он мне верит. Наверное. Но как же это его «ты» раздражает.

— Не надо! Хватит! Вы все равно не верите ни единому моему слову. — Я сейчас готов взорваться от негодования. — Давай свой гипноз...

Когда они спрашивают не меня, а напрямую мое подсознание, они хотя бы немного верят в то, что слышат.

— Гипнотизируй!

Федор Петрович смотрит по сторонам. Он сомневается.

Видимо, с гипнозом есть какие-то сложности. Но я вижу, что на самом деле ему нравится идея.

— Нельзя так часто прибегать к этой мере. — Чувствуется, что он хочет, чтобы решение приняли за него. — Можно вызвать спонтанную...

— Гипнотизируй уже! — кричу сквозь зубы и принимаю это дурацкое решение за трусливого врача. — Плевать, что ты там можешь вызвать, хоть Сатану. На кону человеческая жизнь. Делай!

Федор Петрович соглашается. Протягивает мне пилюлю и садится ближе. Я проглатываю таблетку, без воды, просто пропихиваю ее по горлу. И доктор начинает сеанс.

— На счет три ты погрузишься в сон. — Он выставляет на вытянутой руке маятник. Подвешенное на цепочке кольцо двигается вправо-влево. — Раз. Твои веки тяжелеют. — Он тараторит. Похоже, ему не терпится. — Два. Твои мышцы расслабляются.

Он говорит, и я чувствую, что со мной происходить в точности то, что он описывает.

— Три...

Вечером я возвращаюсь домой и слышу, как она громко кричит. Рита зовет на помощь.

— Рита? Это я. Где ты? Что случилось?

Я отчетливо слышу ее голос, он доносится из спальни, и я вбегаю, готовый к драке. В руке сжимаю зонт.

— Нет. Не трогай меня! Нет!

— Рита, ты чего? Это же я.

— Умоляю, не надо! Развяжи!

Я пытаюсь ее успокоить.

Подхожу ближе, чтобы снять веревки, а она с визгом шарахается. Нет, повторяет, не надо, пожалуйста.

— Дай я развяжу! Успокойся!

Рита садится к спинке кровати, поджимает колени к груди и наклоняет голову набок.

— Вот какой же ты все-таки...

Она говорит совершенно спокойно, словно секундой раньше она не орала на весь дом, как потерпевшая.

— Какой такой?

— Да такой... Тормоз.

Вот сейчас было обидно. Как ее понимать?

— Не мог подыграть? Видишь же.

Она показывает веревку, которая просто накинута, даже не завязана. Рита сама обвязала себя.

Обмоталась и сидит. Я и не заметил, что нет узлов. Да и как тут заметишь?

— Актер ты или кто?

— Но зачем? — От растерянности я соединяю два вопроса в один.

Оказывается, она хотела спрятаться в комнате, запереться на засов и представлять, что к ней вломились убийцы.

Она ждала, что я догадаюсь и подыграю. И как я должен был догадаться?

— И как я должен был понять?

— Ладно, тормозик, давай заново. Ты выйдешь из квартиры, прогуляешься и вернешься, будто ничего не знаешь.

— Переиграем?

Рита разводит руками и улыбается.

Иду вокруг дома.

Уже второй круг прохожу.

Аркадий смотрит под ноги, а я разрабатываю сценарий.

Качественная игра зависит от многих факторов. Один из них, нужно четко понимать ситуацию. И нужно идеально знать сценарий.

Важно вжиться в роль.

— Нужно думать, как маньяк. Нужно выглядеть, как маньяк. Нужно стать маньяком, — говорит Аркадий вслух, а я улыбаюсь его тупости.

Для убедительности лучше всего забраться в мозг зрителя, примерить на себя его маску, влезть в его шкуру.

Постараться представить переживания Риты. Понять, чего она ждет от спектакля. Я должен сыграть роль так, чтобы оправдать ее ожидания и затем взвинтить напряжение. Удивить, перевыполнить план.

Я прокручиваю сценарий.

Аркадию не понять, и он, надо сказать, даже не пытается. Его мнение меня тоже не волнует. Что он, чернорабочий, может знать об искусстве?

Оригинальный сценарий. «Одна в пустой комнате». Автор лучшая половина Аркадия.

Итак, парень вламывается в чужую квартиру.

Интерьер. Комната. Задернуты шторы. Ночь.

Зрители уверены, что парень на самом деле маньяк. Он видит спящую девушку. Она одна в пустой комнате, и маньяк рад, что ему подвернулся случай.

Он приближается. На цыпочках.

Парень что-то бормочет, приговаривает. Он осторожно приподнимает край одеяла и видит лицо девушки.

Он узнает ее.

— Именно он в детстве насиловал героиню, — говорит Аркадий.

Бестолковка предлагает свой вариант развития сюжета. Но я всякие глупости в расчет не беру.

Итак, зрители уверены, что парень маньяк.

— Потом они уверены, что это девушка свихнулась и нападает на обычного нормального парня. Порезала беднягу и связала. — Кажется, Аркадий почувствовал себя сценаристом. — Она твердит, что он больше не навредит ей, и с криками раз за разом атакует его, — вырывается из уст Аркадия очередная ахинея.

Он доволен, оживленно рассуждает о своей «находке». Возбужден. Аркадий даже слегка удивлен, как лихо ему удалось завернуть. А я прохожу третий раз вокруг дома.

Середина сценария провисает...

Я понятия не имею, что я должен делать с Ритой. Допустим, понятна экспозиция и моя роль.

Но...

В итоге что получается? Она сидит и ждет над собой расправы. Одна в пустой комнате. Связанная. Кричит. А маньк ходит по дому.

— И не ясно, то ли он ее связал, то ли не было ничего и она притворяется. Она сама себя связала. А он только что пришел на крик, — говорит Аркадий, и мы возвращаемся домой.

— Обрати внимание на номер дома, — отчетливо слышится голос Федора Петровича.

Я смотрю по сторонам.

— Это мой дом.

— Понятно, продолжай, пожалуйста.

Возвращаюсь домой.

Буду импровизировать. Что еще остается. Меня этому обучали на бесполезных курсах. В конце концов, правильно Рита сказала «актер я или нет?».

Открываю дверь.

— Ты должна молчать! — рычу с порога и намеренно громко топаю по полу.

Иду в спальню.

Рита, слышу, уже плачет, умоляет не трогать ее.

Я хватаю веревку и закрепляю узлы. Все должно быть по-настоящему. Креплю ошейник с короткой цепью к спинке кровати. Ей, кажется, больно. Но я не отвлекаюсь.

Все должно быть реалистично.

Я грожу ей кулаком, Рита часто дышит, но перестает кричать.

— Хочешь кушать?

Она вертит головой.

— Хочешь кушать? — повторяю вопрос громче и со злостью.

Она закрывает лицо руками.

Аркадий идет на кухню. Продолжает громко топать.

Шумлю, гремлю посудой, Аркадий все так же громко топает. Накладываю из кастрюли вчерашнюю кашу. Аркадию кажется, что я выбрал слишком красивую тарелку, и переделывает, как считает нужным. В этом я предпочитаю довериться его вкусу. Он как раз подходит на роль отвратительного повара. Аркадий высыпает горсть соли, затем еще горсть. Перемешивает рукой и удовлетворенно кивает.

— То, что надо.

Возвращаюсь и приношу миску с пересоленной кашей. Металлическую, как для собак. И ложку. Аркадий выбрал самую гнутую, самую старую из набора, и я с лязгом бросаю ее возле миски.

— Ешь!

Рита трясется от страха и не отвечает.

— Жри, я сказал! — кричу, подтягиваю ее за волосы к миске. Цепь натягивается до предела и душит Риту.

Она закашливается, а я рывком набираю полную ложку каши и вставляю ей в рот.

Губы Риты плотно сжаты, и ложка врезается в зубы.

Похоже, я поранил ее, у Риты со рта начинает сочиться кровь. Я пугаюсь. Извиняюсь, хочу прекратить эту глупую дурацкую игру. Тараторю что-то про то, что я не специально, это случайность, про то, что с самого начала мне не понравилась эта затея. Аркадий готов начать избивать сам себя...

— Хорошо, я поем...

Рита всхлипывает, но не прекращает игру. Собирается продолжать, несмотря на кровь. Она ест, не поднимает лица от тарелки. Она тянется за кашей, как цепной пес, чью еду поставили слишком далеко от конуры. Она жует и смотрит на меня сквозь растрепанные волосы.

Я не знаю...

Я, мягко говоря, обеспокоен. И расстроен. Даже глупые школьники играют в свои жестокие игры максимум до первой крови.

Все выходит из-под контроля.

Куда дальше?

Я растерян, а Аркадий срывает с Риты блузку.

Рита от неожиданности раскрывает рот, но не может произнести ни слова. Я вижу непрожеванные остатки каши на ее зубах.

Аркадий разворачивает ее к себе спиной и горячо прикладывается ртом к ее шее. Присасывается, как пиявка, как вампир. Покусывает ошейник, набирает полный рот ее волос. Кажется, он сейчас съест Риту, поглотит целиком, проглотит своей слюнявой звериной пастью.

Аркадий лапает ее грудь, грубо сжимает, треплет своими шершавыми пальцами ее нежную кожу.

А я не мешаю.

Рита взвизгивает, плачет, стонет, но не кричит. Тяжелая цепь на ее шее побрякивает. Слезы стекают по щекам.

Я хочу продолжить и остановить игру. Если Рите неприятно, я готов, можем сейчас же прекратить этот жуткий спектакль.

Я хочу сказать, что мне не совсем нравится то, что происходит.

Но молчу.

Кровь сочится у Риты изо рта, а руки Аркадия расстегивают на своих брюках ширинку. Руки суетятся, молния, зараза, не поддается. Аркадий рычит. Все не так. Ремень мешает, и его дрожащие пальцы оставляют немного приспущенные штаны в покое.

Аркадий рвет на Рите юбку. Не отрываясь от шеи девушки, он срывает с нее трусики. Он пыхтит. Рита плачет. А я влезаю ногой, коленом вместе с приспущенными штанами в миску. Прямо в остатки остывшей каши. Ерзаю и выдавливаю их на постель.

Рита трясется то ли от желания, то ли от отвращения. Она стонет, всхлипывает, но не кричит.

Я чувствую тяжелый удар по затылку.

Голова Аркадия издает звук, похожий на лопнувший воздушный шар.

Рита куда-то исчезает.

В соседней комнате громко играет музыка, и стая пушистых медвежат лезут на меня со всех сторон. У них милые мордашки, но в лапах у этих тварей ножи, кастеты, топоры. Они медленно, неминуемо надвигаются.

Я проваливаюсь под кровать. Вместе со спущенными штанами. Пружины, как кометы, пролетают мимо лица Аркадия.

— На счет три ты очнешься, — звучит громкий командный голос Федора Петровича.

— Раз!

Я слышу голос. И этот голос отдаляется. Он становится тише, неразборчивее. Словно Федор Петрович нырнул под воду, тонет и откуда-то из глубин ведет свой монотонный отсчет.

«Раз!» Эхом и бульканьем разлетается в стороны команда психиатра.

— Два!

Еле слышно произносит доктор. Он все дальше и дальше.

Но это не он...

Это я проваливаюсь в черную пустоту.

Вокруг ни души. Рука тянется и сама вырывает что-то из моей груди. Я рассматриваю и вижу в руке сердце.

Оно пульсирует. Оно мое. Тук-тук, отзываются удары в пальцах. Я не могу разобрать, то ли сердце двигает моей рукой, то ли окровавленный комок вздрагивает от сжатия пальцев.

— Три.

Пустота поглощает меня. Я сжимаю сердце в кулаке, как фрукт, как сочное яблоко. Я растворяюсь в темноте.

— Три!

Я хочу откусить немного от пульсирующего фрукта. И я впиваюсь зубами. И я кусаю. Прямо с кулаком. Кусаю вместе со своей рукой. Кровь, словно сок спелого яблока, брызжет во все стороны. Алые капли плавно разлетаются, как частички оливкового масла в невесомости.

— Три! — кричит Федор Петрович.

В зажатом кулаке больше ничего не чувствую. Не чувствую пульсаций. Не чувствую тепла. Во рту вкус горький, будто разжевал грейпфрут вместе с кожурой, но я вижу на кулаке след от укуса. След от зубов, как на перезревшей, мягкой груше.

— Я сказал «три»! — слышу испуганный крик лжепсихиатра.

— Три!

«Я сказал, три» ...

Это не конец, вертится мысль в голове.

Это еще не конец, но если я умру. Вернее, когда я умру. Уверен, что почувствую именно то, что испытываю сейчас.

Боль...

Мне больно слышать, мне больно смотреть. Больно дышать. Мне невыносимо больно быть.

Я закрываю глаза. Расслабляюсь.

И я исчезаю. Теперь я и есть та черная, всепоглощающая, безграничная пустота.

* * *

Делаю глубокий вдох. Отражение повторяет за мной.

Медленный выдох через рот. Чувствую, как вибрируют расслабленные губы. Складываю руки перед собой, выпрямляю спину. Как первоклашка, как послушный отличник.

Опять вдох. Отражение раздувает щеки, напрягается и поочередно выталкивает воздух из правого уголка рта, затем с левого.

Аркадий отлично справляется.

Мышцы слушаются. Я могу двигать каждой складкой кожи в отдельности. Могу комбинировать и сочетать по желанию любое движение лица.

Он гримасничает, и я понимаю, что отражение вполне готово скопировать любую внешность.

Аркадий приподнимает брови, напрягает мышцы у рта, раздувает ноздри, и в зеркале отражается совершенно другой человек.

Глаза и прическа, единственное, что выдает в зеркале Аркадия.

— Ничего себе! — удивляется Рита. — Это ты как так?

Я доволен, что она зашла именно сейчас. Наконец мне удалось удивить ее. Предстать, так сказать, во всей красе. Удалось оправдать ее доверие, доказать, что на самом деле Аркадий не обделен талантом.

— Сам не знаю. Занимался. Терпеливо день за днем повторял подходы...

— Ты же совсем другой.

— Ну...

— Нет! На самом деле другой. Поверь, если бы сейчас я тебя на улице встретила, ни за что бы не узнала.

Аркадий делает выдох, и лицо возвращается в привычное состояние.

— Это же феноменально! — Рита хлопает в ладоши. — Я такого никогда не видела. И представить не могла. О таком человек и мечтать не смеет. Ты же можешь теперь... — Она прикрывает ладонями рот и приглушает изумленное оханье.

— Да, — не скрываю гордости. — Можно сказать, научился управлять мышцами.

В подтверждение слов Аркадий меняется, и теперь на Риту смотрит клон Чарли Чаплина.

— Обалдеть.

Чарли говорит, что, по большому счету, может сделать любое лицо. Говорит, сейчас это лишь вопрос времени и элементарной внимательности. Чаплин говорит, что достаточно посидеть с полчасика перед зеркалом, с фотографией цели перед глазами — и можно запросто скопировать абсолютно любого человека.

Естественно, он приукрашивает. Не спорю, сейчас я вполне могу сделать, о чем он говорит. Но это определенно не так просто и определенно не за полчаса.

— Ты невероятен! — Рита садится на пол. — Это невозможно...

Она любуется, а Чарли смеется.

Он говорит, что для него больше не существует таких слов, как невозможно. Он говорит, а его лицо медленно расползается. Он хвастается, как в совершенстве овладел искусством перевоплощения, а на стуле уже сидит человек с лицом наполовину Чаплина, наполовину Аркадия.

— У тебя это... — Рита показывает, чтобы я посмотрел в зеркало.

И я оборачиваюсь. Я уже знаю, что там увижу.

— Да. — Аркадий расслабляется и возвращает привычное лицо. — Долго держаться еще сложно. Но я работаю над этим.

Рита все еще в шоке. Она кивает.

— Пока мой максимум это около двух минут.

Рита следит за каждым моим движением. Как завороженная. Она все еще не может поверить в происходящее.

— Две минуты это совсем немного, знаю. Но еще вчера меня хватало секунд на десять. Так что...

Рита не дает договорить, подскакивает и радостно повисает на моей шее. Она взвизгивает и кричит, что это победа. Она крепко прижимает мое лицо, гладит по волосам и шепчет на ухо, какой же я молодец, шепчет, что всегда верила в меня.

Я стараюсь еще раз изменить лицо и еще сильнее удивить Риту, но Аркадий устал. Он не против, он пытается, но лицо не двигается, мышцы онемели и не слушаются.

Что ж, думаю, первый шаг сделан. На сегодня достаточно. Завтра смогу удивить всех, включая себя.

— Предлагаю, это дело отметить. Ты как? Пошли куда-нибудь.

Я не люблю кафе и рестораны. С удовольствием провел бы день перед телевизором, в уютном кресле. Но желание Риты для меня закон, и я соглашаюсь.

— Сегодня никаких масок. Сегодня мы отдыхаем. — Рита хитро подмигивает, и я понимаю, что она что-то задумала.

Мы идем через сквер. Рита держит меня под руку. Аркадий гордо вышагивает, а я стараюсь не смотреть по сторонам.

— Ты какой-то напряженный. Все хорошо?

Я говорю, что все в порядке, а сам надеюсь поскорее пройти это место, где не так давно на Аркадия напали и унизили. Быстрее отсюда и подальше. Я помню, как Аркадий беспомощно лежал здесь, прямо на дорожке, возле этих самых кустов.

Как он испуганно хватал ртом воздух и боялся пошевелиться, пока над ним издевались и требовали денег.

Я ускоряю шаг.

Не знаю, как себя поведет Аркадий, если мы встретим тех головорезов. А что, если они узнают его без костюма? Что, если начнут дразнить толстожопым Усэйном? А если опять пристанут, и Аркадий проявит свою трусливую сущность?

И самое страшное, что тогда обо мне подумает Рита?

— Ты не слышал, что с ними стало? — неожиданно выпаливает Рита.

Она будто слышала мои мысли.

— С кем?

— Ну с теми. — Она подбирает подходящее слово. — С теми отморозками-грабителями.

Откуда она знает? Неужели Аркадий ей рассказал о том, что здесь произошло?

— Какими еще отморозками? — прикидываюсь дурачком. Мол, впервые слышу и не понимаю о ком речь.

— Ничего себе. Ты не знаешь?

Она дергает меня за руку и увлеченно начинает говорить. Она обыкновенно много говорит. Она говорит, что в этом сквере орудовали целых два налетчика. Говорит, что они набрасывались на одиноких прохожих, избивали и отнимали ценности.

«Угу, — думает Аркадий, — еще и голову медведя сперли...»

Она говорит, что здесь даже назначили дополнительный полицейский наряд, но грабежей меньше не стало. Но, что куда более интересно, она говорит, их убили.

— Тот самый Резак их убил.

— Кто?

— Маньяк. Ну, тот, который срезает лица. Его пресса окрестила Резак. Ты вообще не следишь? На какой ты планете живешь?

Я пожимаю плечами, а Рита продолжает.

Она говорит, что их изуродованные тела, без лиц, нашли в заброшенном гараже. В одном из тех, что готовят под снос.

Я знаю то место. Там располагается кооператив старых гаражей. Их давно собирались сносить и на их месте возвести многоэтажку. Аркадий тогда решил, что это неплохая идея.

Рита говорит, что сейчас в сквере круглосуточно дежурит полиция. Говорит, что на всей территории собираются установить дополнительное освещение и, возможно, даже камеры.

— Поделом тем упырям. — Аркадий говорит и едва сдерживает улыбку.

— Поделом-то поделом. Но ты не задумывался? Кого маньяк выбирает своими жертвами?

Рита останавливается и смотрит прямо в глаза.

— Я думаю, он убивает только виновных. Он как Робин Гуд. Он за справедливость.

— Сомнительная справедливость, — говорит Аркадий, и мы продолжаем наш путь в кафе.

— Если Резак не один, если с ним целая организация... Я бы, наверное, хотела бы присоединиться к ним.

Странное дело, с тех пор как убили близняшек, мы с Ритой ни разу не говорили о маньяке. Я всячески избегал темы смерти ее подружек. Намеренно не слушал новостей.

Она ездила на похороны. Рыдала. А сейчас как ни в чем не бывало собирается примкнуть к отряду справедливых убийц.

Рита хочет еще поговорить о новом Робине Гуде, а мне противно. И я предлагаю сменить тему.

Мы останавливаемся возле вывески «Твой вкус».

— Был здесь? Как готовят?

Я говорю, что не хожу по кафешкам.

Аркадий не из тех, кто любит компании. Тем более денег постоянно не хватает. Так что из меня тот еще эксперт по ресторанам.

— Тогда давай заглянем.

Мне все равно, и я соглашаюсь. Какая мне разница, здесь или где-то в другом ресторане сидеть и чувствовать себя не в своей тарелке?

— Слушай! — говорит Рита и достает телефон.

Ее глаза бегают, начинают блестеть и становятся больше.

— А давай пошалим?

Аркадий молчит, ждет, что скажет Рита. Что на этот раз она придумала?

* * *

Рита лазит в телефоне. А я пытаюсь вспомнить, с каких пор она пользуется телефоном. Она бубнит сама себе, не то, не то, опять не то, а — вот.

— Вот! — Она протягивает мне экран.

Я смотрю, а с телефона на меня смотрит незнакомый мужчина.

На нем строгий костюм, несуразный, но я отчего-то уверен, что очень дорогой галстук. Верхняя пуговица его рубашки небрежно расстегнута. Фотография очень плохого качества, вся в пиксельных кубиках. Но я могу разглядеть его самодовольный и надменный образ.

— Что это?

— Не что, а кто. Это владелец кафе «Твой вкус».

— И?

— Ты издеваешься? Или реально не догоняешь?

Аркадий на самом деле не понимает, к чему ведет Рита.

— Ох. Ну ты... — Она смеется над несообразительностью Аркадия. — Все просто же. Берешь фотку, смотришь на нее. — Она роится в сумке. — Вот тебе зеркало. — Она вытаскивает зеркальце. — Берешь, смотришь, копируешь. Что тут непонятного?

— Зачем?

— Фуф... — выдыхает Рита. — Тебе все разжевать? — Она смеется. — Заходим, садимся. Официант видит начальника. Ты заказываешь все меню. Заказываешь все самое дорогое и прогоняешь официанта.

— Ну. — Аркадий понимающе кивает. — И зачем?

— Ох, ты ж господи. Во-первых, для начальника сделают все по высшему разряду. Во-вторых, платить не надо. — Она трет большим и указательным пальцами. — В-третьих, протестируем твои умения. И в-четвертых, пятых и десятых, повеселимся!

Мне определенно не нравится эта затея. Деньги есть... Ни к чему весь этот цирк. Но желание Риты для меня закон, и я соглашаюсь.

Аркадий смотрит на телефон, в зеркало. Опять в телефон и снова в зеркало. Для него это не просто. Это настоящий вызов. Это тебе не в уютной квартире, один на один с отражением.

— Откуда у тебя телефон?

— Это не мой. — Рита отвечает уклончиво, и я понимаю, что подробностей мне не добиться.

Аркадий не справляется. У него не получается скопировать человека с фотографии. Это совсем не просто, без уютного кресла, без чашки кофе и перерывов на покурить.

Аркадий двигает бровями, шевелит подбородком. Рита нетерпеливо выглядывает из-за плеча, старается не мешать. А я горд и счастлив, что могу угодить Рите.

— Не получается?

Нет. Я делаю, что могу, но Рита права, ни черта не получается. Я стараюсь изо всех сил, а Аркадий отвечает, сейчас-сейчас.

Спустя двадцать минут на пороге кафе вместо Аркадия стоит уставший хозяин заведения «Твой вкус» и держит под руку Риту.

Нас усаживают за лучший столик.

— Вам как всегда? Что желает ваша спутница?

Официант рассматривает. Сейчас он все поймет. Сейчас он догадается. Нас выставят с позором. Нас арестуют.

— Все меню, пожалуйста, и бутылочку самого дорогого вина. — отвечает за меня Рита.

Я успокаиваю Аркадия. Все хорошо, все хорошо. Главное, успеть сделать заказ за две минуты.

Аркадий кивает. Хозяин заведения кивает, и официант удаляется.

Повезло.

Похоже, здешний босс не из болтливых.

Рита смотрит на меня и хихикает. Кажется, все идет как надо. Никто не догадывается. И никого не смущает, что напыщенный босс пришел в джинсах и облезлом свитере. Никто из персонала не замечает, что их начальник нервничает и потеет.

— Расслабься. Когда принесут еду, просто встанешь и пойдешь в туалет.

Аркадий больше не может сохранять маску, его лицо снова возвращается в привычное состояние.

Скорей бы закончилась эта авантюра. Ох, как же это все плохо пахнет. Я завтра обязательно вернусь и заплачу по счету. Пусть это глупо или даже тупо, но я сделаю это и извинюсь.

Наш стол заставлен блюдами. Мы не в состоянии столько съесть, и мы лишь пробуем по кусочку каждое.

Нас никто не беспокоит.

Рита смеется, говорит официанту, что после всего съеденного мы обойдемся без десерта. Она трогает живот, говорит, что сладкое просто не влезет. Хозяин кафе больше не появляется. Аркадий жует мясо. А я никак не могу расслабиться.

— За твой успех! — Рита поднимает бокал.

— За нас! — отвечает Аркадий, и мы выпиваем.

* * *

Яркая вспышка. Свет слепит, режет глаза. Я щурюсь.

Раз, два, три, и опять темно.

Суть игры понять не сложно. Игроки сидят за огромным круглым столом. Мы сидим за столом. И пока в комнате светло, одному из нас нужно успеть разлить водку. За короткое время. Всего за три счета.

Рюмок много. Поровну разлить невозможно, и поэтому вопрос удачи, кто и какую выпьет, когда погаснет лампочка.

Раз, два, три.

Темнота. Глубокая. Я закрываю и открываю глаза, но никакой разницы не чувствую. О том, что происходит, могу лишь догадываться.

Наш стол вращается, как волчок, как рулетка в казино. Рюмки налиты и расставлены по кругу.

Стол останавливается.

На ощупь выбираешь стопку, что напротив остановилась, и пьешь. Пролить нельзя. Такие условия. Лучше пить одним глотком. Одним махом. Смаковать и наслаждаться совершенно не вариант.

Вспышка света. Раз, два, три.

Проворливая рука хватает бутылку, успевает обновить некоторые рюмки, и опять темно.

Стол вращается. Стол останавливается.

Сколько мы так сидим?

Протягиваю руку. Поднимаю свою рюмку. Ожидаю неприятный обжигающий вкус. Стараюсь не дышать. Подношу ко рту. Быстрый выдох. Глотаю. Резко. Как пилюлю.

На этот раз повезло. Мне достался пустой стакан. Буквально капля напитка. Меня передергивает, и я тороплюсь поставить сосуд на место.

Вспышка. Раз, два, три.

Раздражает. Сколько бы ты ни выпил, свет непременно будет раздражать. На то и расчет. Такие правила.

Рюмки наполняются, бутылка пустеет, и ее место занимает новая распечатанная.

Темнота. Хватаю. Пью. Морщусь.

Кто-то толкает меня в плечо. Мне передают бутылку. Нащупываю горлышко, готовлюсь. Сейчас моя очередь разливать.

Свет. Раз, два, три.

Я успеваю наполнить лишь две рюмки. Всего две. Но зато до краев. Господи, только не попадись одна из них мне.

Стол останавливается.

Пью. Рюмка пустая. Получай, думаю. Сейчас кто-то выпивает мою полнехонькую. Сейчас кому-то похуже, чем мне.

Вспышка. Раз, два, три.

За такое время нереально оглядеться. Успеваю оценить лишь количество человек. И то примерно.

Нас осталось с десяток.

Хватаю. Пью. Рычу.

Нет, на этот раз удача отворачивается. Полная, зараза. И я проглатываю. Большой, просто огромный глоток. Меня мутит, но я должен терпеть. Нельзя проиграть.

Правила просты. Проигрывает тот, кто первый теряет сознание. Или кого первого стошнит.

И это буду не я.

— Я больше не могу, — слышится пьяный женский голос.

Разговаривать нельзя. Такие правила.

И женщина проигрывает. Мы слышим, как ее уводят. Она сопротивляется, говорит, что случайно вырвалось, кричит, дайте второй шанс. Но уже слишком поздно, для нее игра закончилась. Ее уводят из комнаты.

За столом все молчат.

Для проигравшего все заканчивается. Проигравший выбывает. И выбывшего ждет смерть.

Свет. Раз, два, три.

Я вижу, как соседа справа под руки выносят из-за стола. Его голова болтается, ноги волочатся по полу, как у тряпичной куклы. Возможно, он выпил одну из моих. Возможно, я причина его проигрыша.

Рюмки наполнены. Темнота.

Стол кружится. Голова кружится. Но я должен держаться. Я просто обязан выжить.

Стол останавливается.

Пью. Водка не лезет. Буквально упирается и встает поперек горла. Мне противно. Мне нужно закусить или хотя бы запить.

Картинка плывет. Я вот-вот потеряю сознание. Или блевону. Или и то и другое вместе.

Слышится крик очередного выбывшего. Кто-то не выдерживает, и его волокут из-за стола. Я вновь трезвею. Мгновенно. Как стеклышко. Я опять в игре. И я должен победить. Я справлюсь! И сопьюсь...

Победителя ждет свобода. Победителя ждет жизнь.

Если я выберусь отсюда. Если я уцелею. Обещаю, никогда в жизни не прикоснусь к спиртному. Я обещаю сам себе. Мне не нужны ни реабилитационные центры, ни группы поддержки. Не прикоснусь никогда. Я сам себе клянусь.

Свет. Раз, два, три.

Темнота. Беру. Закрываю нос. Пью.

Чей-то голос в микрофон объявляет «Финальный раунд!». И мы знаем, что это значит. Это значит: нас осталось трое.

Это особый раунд. В финале разливающий не пьет. Но это нисколько не упрощает ситуацию.

Свет. Раз, два, три.

Моя очередь разливать. На этот раз я стараюсь наполнить как можно больше рюмок. Пьющих всего двое, так что шанс, что им выпадут наполненные до краев, совсем не велик. Лучше попытаюсь сыграть на количество. Меньше, но больше. Пусть хоть каплю, но соперник отведает.

В нашем состоянии одной капли вполне может оказаться достаточно, чтобы победить или проиграть.

Успеваю плюхнуть в половину рюмок. Большую часть просто проливаю на стол. Могу лишь представить, какой запах почувствует человек, если сейчас зайдет к нам в комнату.

Темнота. Рулетка останавливается.

Слышу чей-то хрип напротив себя. Да. Похоже, план сработал, и соперник отхлебнул. Капелька пошла носом, и мой противник кашляет.

Свет. Раз, два...

Я готовлюсь.

Свет гаснет, но мы не слышим «три».

Стол вращается, а я не знаю, что сейчас делать. В условиях четко сказано, пить не раньше, чем после счета «три».

— А где же три? — произношу заплетающимся языком и, спохватившись, прикрываю рот руками.

Я заговорил. Разговаривать за столом нельзя. Такие правила. Я проиграл? Все кончено?

— Три, — раздается спасительное три.

Похоже, никто не обратил внимания, что я заговорил.

И я тянусь к рюмке, но стол все еще вращается, и я локтем сбрасываю на пол часть рюмок. Я застываю. Руки больше не слушаются. Я не могу и пальцем пошевелить.

— Три!

Я не могу двинуться. Только не это. Я все-таки проиграл.

Нет. Вот так вот дойти до финала и на финишной прямой бездарно споткнуться...

— Я сказал «три»! — продолжает настойчивый голос.

Меня поднимают под мышки и несут.

— Три! И ты откроешь глаза. — Я узнаю этот голос.

Это Федор Петрович. Что ему здесь надо?

— Три!

Я открываю глаза. Свет заставляет зажмуриться. Я жмурюсь и колочу ногами об пол.

— Как я стал святым? — кричу громче, чем планировал.

И снова открываю глаза. На этот раз я могу осмотреться.

Вокруг меня собралась толпа. Чьи-то руки придерживают. Федор Петрович склонился надо мной, я вижу, как врач сильно вспотел.

— Как я стал святым? — шепчу задыхаясь, про-
глатывая слова. — Как я стал святым? Как я стал...

— Он опять с нами. Все в порядке, — говорит
психиатр, и я слышу облегчение в его голосе.

Федор Петрович возвращается на свое место,
пьет из моего стакана.

Толпа расходится. И вот я опять, один на один,
остаюсь лицом к лицу с психиатром.

* * *

Аркадий приходит в себя.

Мне неудобно, спина болит, задницу отсидел,
шея ноет. Но в голове прояснилось. Не знаю всех
тонкостей процедуры, но гипноз помогает. Он
прочищает. Словно вантуз, помогает протолкнуть
все дерьмо, накопившееся за годы.

— Я вспомнил, — говорю и ерзаю на стуле, пытаюсь найти комфортное положение. — Я должен
рассказать кое-что важное, — говорю заплетающимся языком.

Федор Петрович еще не пришел в себя, показывает мне руками, чтобы я успокоился.

— Кажется, я свидетель убийства.

Ночью на трассе. Начинаю говорить бессвязно.
Словно я на самом деле напился. Помню смутно.
Даже не уверен, что события имели место быть, но
чувствую, что должен рассказать.

Фара светит на обочину, в сторону кустов, в которых я прячусь. Капот шипит, от машины поднимается пар. Мелкие мошки копошатся в столбе света, а я сижу, притаился и стараюсь не дышать.

Убийца говорит по телефону. Просит, чтоб помогли с трупом и свидетелем. Я слышу его разговор, его грубую, картавую речь. Он кому-то звонит, какой-то женщине.

Он говорит о свидетеле. Обо мне.

Я не слышу, что она ему отвечает, но в трубке определенно тонкий женский голос. Убийца спокоен. Он разговаривает, переминается с ноги на ногу и, кажется, сейчас смотрит прямо на меня.

— Да. Жду. — Он прячет телефон в карман и говорит в темноту: — Выходи! Что спрятался? Через двадцать минут за нами приедут.

Он зовет, он знает, что я где-то рядом. Знает, что я никуда не денусь. Бежать мне некуда, он прекрасно знает, где я живу. И я не побегу в полицию, меня никто не спасет.

— Давай уже. Вылезай. Где ты там?

Убийца заталкивает тело в багажник и продолжает, между делом, со мной беседовать. Он говорит, что, если я буду молчать, если помогу избавиться от трупа, мне ничего не грозит. Говорит, что можно ему верить.

— Смутно помню детали, но это были самые длинные двадцать минут в моей жизни. Я просто ждал. Выглядывал из своей засады и ждал, что же будет со мной дальше.

Убийца садится в машину, включает приемник и качает головой в такт мелодии.

Я в кустах, а у него все хорошо.

— Затем приехал фургон. Из него вышли трое. Пожилой мужчина с длинной густой бородой в длинном пальто и два здоровяка в масках.

За рулем сидит полная женщина. Ее живот упирается в руль, а рот выкрикивает из кабины указания.

Без лишних разговоров здоровяки в масках хватают убийцу, делают два выстрела и складывают его тело в багажник к его жертве. Бородатый подносит канистру, они обливают и поджигают машину.

Вместо зачистки фургон зачищает самого убийцу. Парадокс.

— Он говорил про свидетеля, — кричит женщина через открытое окно. — Проверь!

Бородатый смотрит по сторонам. Ему, наверное, просто лень искать. Он пожимает плечами и дает команду громилам садиться в фургон.

— Похоже, свидетель рядом с ним, в багажнике. Порядок.

Фургон уезжает, а я не могу поверить в удачу.

Добираюсь домой. Я не знаю, как лучше поступить. Просто забыть, словно ничего и не было?

Звоню в полицию. Говорю здравствуйте.

— Не успел даже поздороваться, послышался звонок в дверь.

Я кладу трубку и смотрю в глазок. В подъезде стоит бородатый в плаще со своими головорезами.

— Ладно. Достаточно, — останавливает меня разочарованный голос Федора Петровича. — Прервемся. Продолжим завтра.

Лжепсихиатр смотрит на часы. Он же должен знать, что ни в коем случае нельзя смотреть на часы перед собеседником. Или на его дешевых курсах этому не учат?

Я смотрю в окно, на улице уже ночь.

Хочу объяснить, что все, кто тем вечером приходил, все, включая женщину за рулем, стали жертвами Риты-Резака. Может, мой мозг выдает ложные воспоминания, может, это всего лишь иллюзии. Но я помню этих людей. Помню. Она их убила.

Но это уже не имеет значения. Все хотят перерыв. И я решаю промолчать.

Только сейчас я замечаю, что на мне мокрая до нитки одежда. Я смертельно устал и хочу спать.

Что ж. Продолжим завтра.

Я постараюсь.

Завтра сделаю все, что в моих силах, чтобы спасти девушку. Сколько она протянет?

* * *

— Ты сегодня странная. Что-то не так?

— Хочешь я приготовлю ужин? — отвечает вопросом на вопрос жена.

Ее голос простужен. В горле у нее першит. Сухой кашель иногда вырывается из груди.

— Еще бы, — говорит Слава и упирается носом в газету. — Кристин, видела, что эти идиоты пишут? С первого числа опять отопление подорожает.

Кастрюля на плите, в ней плавает куриная грудка. Посолить, добавить приправ. Что там еще нужно для супа?

Я завязываю передник, ищу рецепт в интернете. Листаю страницу, а Аркадий удерживает на себе маску Кристины.

Понадобится картофель, морковь, лук, вермишель. Аркадий тот еще кулинар, и я беру инициативу в свои руки.

Читаю:

«Промыть окорочка. Кладем в кастрюлю, заливаем холодной водой, ставим на сильный огонь...»

Смотрю на закипающую воду, в которой плавает курятина. Промыть забыл, и не окорочка вовсе. Но, думаю, это допустимые отклонения от рецепта.

— А еще убирают льготы на проезд. Козлы! — слышится голос Славы из соседней комнаты.

Аркадий не отвечает. Он старается поменьше болтать. Угу, о'кей, и не более. Скопировать внешность и поведение удается. Подражать голосу это совершенно другой уровень. Одно дело выглядеть как объект, но совершенно другое стать им.

Кастрюля начинает булькать, крышка приподнимается.

Я читаю:

«Как только вода закипит, убавить огонь до минимума. Посолить по вкусу...»

Бросаю щепотку соли, кладу неочищенную, но мытую луковицу и закрываю крышкой.

Огонь на минимуме, суп лениво булькает.

Читаю:

«Через тридцать минут выловить луковицу и добавить морковку, нарезанную кубиком...»

— Дорогой, где у нас морковка? — спрашивает Аркадий тонким хриплым голосом.

— Издеваешься? Вчера принес килограмм. — Слава не отрывается от газеты. — Под раковиной же. В пакете посмотри.

Я проверяю, да, он прав. Пакет на месте. Выбираю несколько корнеплодов и подготавливаю разделочную доску.

— Сходи к врачу, — слышится голос прямо за спиной.

Слава обнимает жену за талию и говорит, что он беспокоится о ее голосе. Говорит, что не хочет, чтобы его красавица болела. Он прислоняется, нюхает волосы жены и целует в щеку своими усами. Аркадию щекотно. А я боюсь, что сейчас меня уличат.

— Классный шампунь. Вкусно пахнет, — говорит Слава и возвращается к чтению.

Пронесло, думаю я, а Аркадий улыбается и стучит ножом о доску. Морковка нарезается кубиками, а я читаю рецепт дальше.

«Через пять минут добавить очищенный и нарезанный картофель. Попробовать на соль...»

Проверяю под раковиной, нахожу ведро с картофелем. Достаю несколько и сую под кран.

Морковь в кастрюле.

Чищу картошку, нарезаю более-менее ровными кубиками, варю еще пятнадцать минут.

«Затем следует добавить в кастрюлю вермишель и варить около пятнадцати минут...»

Аркадий открывает дверцы шкафчиков. Он судорожно ищет вермишель. Если я пойду узнавать, где в этом доме вермишель, меня раскроют. В лучшем случае Слава вызовет «Скорую».

Аркадий роняет с полки пакет. Мне с трудом удается поймать упаковку с мукой в воздухе. Не хватало еще здесь уборку делать.

На полке в самом углу стоит коробка спагетти. Моя спасительная пачка спагетти. Высыпаю жменю. Я считаю, это тоже допустимое расхождение от рецепта.

«После кладем специи. Через пять минут выключаем и даем супу настояться еще десять минут...»

Мне уже надоедает работать поваром, а Аркадий рад, что варка супа занимает много времени. Ему проще быть Кристиной вдали от посторонних глаз. Тем более от глаз мужа.

«Ваш суп готов. В тарелку можно положить половинку вареного яйца и мелко нарезанную зелень...»

Черпак в руке. Суп в тарелке.

— Дорогой, идем ужинать, — зову Славу и раскладываю приборы на столе.

От блюда поднимается пар. Муж ест суп. А я собираюсь уходить. Как можно скорее отсюда. Уговор был, пока Рита отвлекает Кристину, Аркадий протестирует свои способности в более сложной ситуации.

Все, вечер прошел, считаю, успешно, и я прощаюсь со Славой.

Сытый муж, лезет обниматься. Он явно настроен на продолжение. Интим не входит в мои планы, и я сканирую глазами комнату в поисках подходящего предмета. Я собираюсь вырубить Славу чем-нибудь тяжелым. Он тычется своим усатым ртом. Меня сейчас стошнит. А Аркадий выворачивается и снова меня удивляет.

— Пойду прогуляюсь.

— Куда? Ты на время смотрела? — Он крутит пальцем у виска и приближает свои усы к моему лицу. — Хочешь в завтрашнюю сводку с Резаком?

— Я договорилась с Ритой, — говорит Аркадий и отталкивает мужа.

Я удивляюсь его находчивости.

Слава говорит, что мы с Ритой две полуночницы, говорит, чтобы долго не засиживались, говорит, что продолжим, когда я вернусь домой. Он говорит и противно подмигивает.

Я пулей вылетаю на улицу. Повезло, что у этой Кристины нашлась подруга Рита.

Я забегаю за угол, где лежит сумка с моими вещами. Аркадий возвращает привычное лицо, а я натягиваю свои джинсы. Два квартала я бегу вприпрыжку. Сердце колотится.

Интересно, как Рите удалось отвлечь так надолго жену Славы?

Сворачиваю за магазином, через двор, по мостику. Вдоль ручья, который местные отчего-то считают рекой. Спускаюсь к остановке.

Кажется, я справился. Все получилось.

Сажусь на скамейку, и меня накрывает усталость. Я измотан эмоционально, а Аркадий просто без сил.

Возвращаюсь домой.

Целый вечер тело Аркадия притворялось Кристиной, и сейчас и тело, и Аркадий, и я сам рады оказаться в своей квартире.

Без лишних разговоров, мимо Риты, пробираюсь в спальню. Залезаю под одеяло. Мне хочется спрятаться, я закрываю глаза, мне хочется поскорее уснуть.

* * *

Кручусь на кровати. Лицо ноет. Аркадий перенапрягся. Притворяться Кристиной оказалось труднее, чем я думал.

Не получается сосредоточиться на чем-то одном. Мысли разбегаются, но должен признаться, мне это нравится. В таком состоянии без труда быстренько усну. В ушах звенит. Глаза закрыты. Стараюсь дышать равномерно. Начну считать овец. Одна, вторая...

— Как все прошло? — слышится голос прямо над ухом.

Рита, обыкновенно тактичная, сейчас просто не чувствует момент и мешает мне отдыхать. Ей не терпится. Ей, естественно, интересно, справился ли Аркадий с ролью женщины. Но я не готов сейчас разговаривать.

Я хочу спать.

— Просто отлично! — отвечаю сквозь зубы и, не открывая глаза, снимаю ботинки.

Я понимаю, что улегся в одежде. Плевать. Мне лень подняться. Стаскиваю штаны. Они комом укладываются под одеялом.

Один носок снялся вместе с джинсами, второй наполовину сполз. Плевать. Спихиваю ногами ком с кровати и слышу, как пряжка звонко встречается с полом.

— Притворяться женщиной не сложно, — говорю и замечаю, что за окном уже светло.

Я протираю глаза. Проверяю. Да. Совершенно точно — утро.

Получается, я проспал всю ночь. И не выспался. Или я сейчас еще сплю, и мне все это снится?

Кручу головой по сторонам. На часах десять утра. Аркадий вернулся домой около девяти вечера. Сразу лег спать. Усталость никуда не делась. Я истощен, а Аркадий лыбится.

Рита смотрит на довольное лицо Аркадия. Глаза щурятся от лучей яркого солнца, пробивающихся через занавеску, от чего ее лицо выглядит каким-то бледным и нетипично хитрым. Как у лисицы из старых мультиков.

— Я в тебе не сомневалась. Пойдем.

Она зовет меня на кухню. Говорит, что у нее есть еще что-то для меня, и садится за стол.

— Опусти сюда пальцы.

Она ставит чашку перед Аркадием. Из чашки неприятно пахнет, и я смотрю на Риту.

— Просто опусти.

Я трогаю жидкость и отдергиваю руку. Аркадию больно. Он дует на палец и продолжает вопросительно смотреть на Риту.

— Что это?

— Кислота, — спокойно отвечает Рита. Обычным тоном, будто в чашке какао и ничего особенного не происходит.

— Но зачем?

Рита говорит, что отпечатки в моей профессии только мешают. Говорит, что я должен избавиться от них. Нужно сжечь кислотой подушечки.

Спектакль в кафе, ужин и прочее баловство — это лишь цветочки. Это лишь начало. Она говорит, что по отпечаткам меня быстро вычислят, найдут и арестуют. Говорит, тогда я не смогу ей помогать.

— Почему бы не замахнутся на большее?

Я помню это.

Это уже происходило со мной. Дежавю. Вернее, нет, скорее это проблески памяти.

Я вспомнил.

Я сейчас сплю? Нет.

Она выкладывает на стол кипу бумаг. Рита листает документы и показывает мне фотографии.

— Это как вариант. Выбери сам.

Она протягивает мне стопку чужих паспортов. Где она их взяла? Документы новые, с разными гербами на обложке.

— Что это?

— А как по-твоему? Не тормози, соображай уже.

Помню. Я разворачиваю. Мне на выбор предлагается четыре мужских паспорта и два женских.

Фотографии неудачные, любой более-менее похожий человек может выдать себя за их хозяина.

— Кто все эти люди?

— Не переживай. Документы настоящие.

Я и не сомневаюсь в их подлинности, мне интересно, кто они, эти люди с фотографий.

Я отодвигаю от себя стопку.

— Кто они?

— Ты как всегда. Дотошный. Все, что тебе нужно о них знать, это то, что их больше нет. И никто не станет их искать. Это призраки.

Она нетерпеливо щелкает пальцами. Она настаивает, чтобы я выбрал себе новую личность.

— Выбирай уже. Кем будешь?

Но я не хочу выбирать. Я хочу оставаться собой. Я хочу, чтобы она меня отпустила. Я устал быть ее рабом.

Помню. Мне нужна свобода. Я готов бороться. А Аркадий твердит, что не хочет ничего менять, ему это не нужно.

— На. — Она наугад достает один из паспортов. — Если сам не можешь выбрать, я помогу. — Она разворачивает, смотрит на фото, затем на меня, опять смотрит на фото и читает. — Теперь тебя зовут Аркадий.

Я помню. Именно так все и произошло.

Так я стал Аркадием.

Обыкновенная случайность. С таким же успехом я мог бы стать Галиной или Егором.

Выбор сделан.

Я беру документ.

На главной странице плохо пропечатанный снимок замученного жизнью лица. Со страницы, нахмурив лоб, на меня смотрит мужчина, типичный работяга. Такой вполне себе может работать сторожем, сантехником или механиком. Или строителем.

— Аркадий, засунь, пожалуйста, пальцы в кружку. — Рита подвигает кислоту ближе и берет меня за руку.

Я машу головой. Я не хочу. Я не согласен.

— Не начинай. — Ее голос становится строгим. — Не хочешь по-хорошему? — Она прячет руку за спину.

И это я тоже помню.

Я знаю, что у нее за спиной. Мне нельзя спорить. Больше, чем свободы, мне хочется жить.

Непроизвольно смотрю через открытую дверь в соседнюю комнату. Смотрю на прикованное к столу тело. Кровь еще стекает на пол. Тягучими каплями ударяется о целлофан. Кап-кап. Красная.

Выстраданная. Уверен, она еще теплая. Уверен, если продолжу спорить с Ритой, займу место того растерзанного бедняги.

Рита стучит пальцем по столу. Другая рука все еще у нее за спиной.

— Мне еще долго ждать?

Я не хочу, я борюсь. Без слов. Борюсь с ней, с собой. Я противлюсь изо всех сил. А Аркадий выпрямляет ладонь, улыбается, и мои пальцы погружаются в жидкость.

Чашка бурлит. Кислота выжигает кожу на подушечках. Аркадий стонет, ему больно.

Аркадий готов заплакать. Аркадий готов, а я нет.

— Вот, молодец, — подбадривает Рита. — Ты мой любимчик.

Помню. Помню, как сейчас.

Аркадий кривится от боли, но мои пальцы все еще в кружке с кислотой.

— Не забывай, Аркадий. Ты живешь только потому, что я тебя люблю. Ты невероятно талантлив. — Она наклоняется и целует меня в лоб.

Я вынимаю пальцы. Мне не хочется на них смотреть. Я отворачиваюсь и упираюсь взглядом в извилистый растительный узор на обоях.

Рита помогает обработать раны. Она бережно бинтует мне руки.

— А сейчас надень. — Она достает желтые резиновые перчатки. — И помоги мне тут все прибрать.

Аркадий послушно идет в комнату и расфасовывает части тела по пакетам. Словно кондитер. Словно упаковщик гирлянд.

Затем он наливает в небольшую ванночку химическую смесь. Сладкий запах разлетается по комнате.

Буквально мгновение Аркадий колеблется, и мои руки переносят лицо жертвы в ванночку с формалиновым маринадом. Аркадий знает, как правильно обрабатывать кожу. Рита всему научила. Она ловко накрывает ванночку крышкой, и вот мои руки уже сворачивают целлофан.

Аркадий протирает тряпкой пол, составляет пакеты у стенки.

Когда Аркадий выполнил всю грязную работу, Рита приглашает меня ужинать.

— Можешь снять перчатки, и будем есть.

Она нарезает салат. Лезвие острого ножа выстукивает по доске. Овощи занимают свое место на тарелке. Рита добавляет соль и садится. Я просто подчиняюсь и сажусь рядом.

Помню.

Я смотрю на салат — и вижу распотрошенное тело. Смотрю на помидор — и меня вот-вот стошнит.

Аркадий с аппетитом разжевывает брокколи, а я вспоминаю слова Риты: «Здоровое питание.

Это панацея для души. Тот, кто ест мясо, в сто раз злее вегетарианца. Жуй тщательнее фасоль».

Аркадий звонко хрустит огурцом, а я слышу хруст переломанных костей жертвы.

— Теперь можно отправляться отдыхать.

Рита встает из-за стола и показывает на дверь.

— Но... Я хотел...

— Спать! Я сказала!

Она кричит шепотом, от чего ее строгий тон звучит еще более угрожающе. Я сжимаю зубы.

Мне страшно. Я готов ударить девушку. Готов дать бой. А Аркадий идет в чулан, пристегивает себя за ошейник на цепь и возвращает ключи Рите.

— Сладких снов, мой хороший.

Я помню.

Она спрашивает, почему бы нам не замахнуться на большее. А я не хочу ей помогать.

Она ждет, что я стану притворяться другим человеком, чтобы заманивать жертву в западню. Она тренирует, натаскивает меня, как сторожевого пса. Ждет, что я стану выполнять команды. Стану превосходной дрессированной, безотказной наживкой.

Аркадий устраивается в углу. Подпихивает одеяло под бок, а мне нужно в полицию. Мне нужно обо всем им рассказать. Я обязан остановить Риту. Надо придумать, как перехитрить свою собственную маску. Сделать так, чтобы Аркадий меня не выдал.

Рита посылает воздушный поцелуй в мою сторону.

Дверь в чулан закрывается, слышатся удаляющиеся цоканья каблуков, и я проваливаюсь в пустоту. Черную, бездонную. В этой пустоте у меня нет никакого лица. Здесь я никто. Ни Аркадий, ни Кристина, ни кто-то еще. У меня ничего нет. Здесь меня нет.

Меня нигде нет.

— Просыпайся. Хватит мять подушку, — слышится голос над ухом.

Я открываю глаза. Уже утро.

— Ты так в одежде и проспал. — Рита смеется. — Не хотела тревожить, оставила так.

Она протягивает полотенце.

Я не говорю ни слова. Беру полотенце, снимаю ботинки, стаскиваю штаны вместе с трусами, и теплый душ плюется в уставшее лицо Аркадия.

* * *

Запах кофе вылетает из чашки. Огибает стены кухни, летит через весь коридор, через распахнутую дверь. Заглядывает в каждую комнату. Проносится мимо туалета, обволакивает пол, потолок. Соскребает никотиновый слой с прокуренных обоев. Смешивается с кислым запахом ботинок на обувной полке и настойчиво ломится мне в нос, несмотря на насморк.

Чулан распахнут, значит, мне можно выйти. Пора. Аркадий ищет ключи от ошейника. Я нашариваю рукой поручень, и тело Аркадия непослушно поднимается.

Цепь побрякивает, меня мутит, а Аркадий отстегивает замок.

Я останавливаюсь в дверях. Удостоверяюсь, что мне можно выйти, и лениво шагаю в коридор.

Нет никакого желания начинать проклятый новый день.

В соседней комнате калачиком спит девушка. Я вижу ее сквозь шторы-веревочки, служащие дверью.

Девушка спит, подрагивает.

Я двигаю плечами, шеей. Под кожаным ошейником образовались и зудят потертости. Я разминаю руки, шевелю распухшими пальцами и рассматриваю соседку.

На ней такой же ошейник, как у меня. Она спит на протертом вонючем матрасе. Она, насколько я могу судить, стройная, и если ее отмыть и переодеть, будет определенно привлекательная.

Возле нее разбросаны шприцы.

Рита опять вколола бедной девушке свой хим-коктейль. Я знаю, как это больно и неприятно.

Парализующий укол. Тело не подчиняется, естественные процессы происходят, даже если ты ничего не ел и не пил, и ничего с этим не поделаешь.

Но самое страшное это не та боль и унижение. После инъекции в прямом смысле не хочется жить. Начинаешь умолять убить себя. Лежишь, не можешь пошевелиться. В дерьме, в собственной луже, в жидкой блевотине. Мечтаешь умереть и ни черта не помнишь.

Рита запрещает мне смотреть на девушку. Говорит, я должен убирать за ней, должен относить поесть, попить. И все.

Не смотреть и не слушать. Я ни в коем случае, ни под каким предлогом не должен с ней разговаривать.

Захожу в комнату.

Я прохожу мимо девушки, перешагиваю спящую. Собираю шприцы. Проверяю ночной горшок.

Утром после укола ощущение, что каждую мышцу, каждую косточку отделили от тела и затем небрежно приклеили на место. Натолкали битых стекол в обвисшую выпотрошенную оболочку. Как начинку в самодельную колбасу. Боль такая, что забываешь мечтать о смерти. Просто крик, стон, слюни и слезы.

Я стараюсь не разбудить бедняжку. Пусть хоть немного отдохнет перед ожидающими мучениями.

Наклоняюсь, хочу получше рассмотреть девушку, но Аркадий начинает трястись от страха.

Он поднимает миску, кружку и торопится на кухню.

Запах кофе вызывает аппетит. Я слышу, как урчит живот у Аркадия. Он готов сожрать слона, а я не могу выбросить из головы пленницу и с отвращением представляю соевую котлету. Веганские бутерброды, трава и прочая полезная салатная еда Риты.

Я опускаю посуду в раковину и сажусь за стол. Мне противно, а Аркадий боится.

После завтрака Рита сядет в кресло. В пустой комнате, напротив пленницы. И будет ждать, когда та проснется.

Рита не будет специально ее будить. Она любит момент, когда жертва сама просыпается от боли.

Рита не поспешит на помощь, не будет стараться заглушить крики и стоны пленницы. Она прикроет свои веки и, словно наслаждаясь симфонией Бетховена, станет раскачиваться в такт и двигать руками из стороны в стороны, как дирижер.

— Не смей с ней флиртовать, — вроде в шутку говорит Рита.

Аркадий оправдывается, что даже и не думал.

Рита смеется, говорит, что чувства юмора у него нет никакого. Она хохочет, Аркадий опускает глаза и вот-вот упадет на колени перед Ритой просить прощения за то, что у него нет чувства юмора. А я хочу схватить вилку и вставить себе в ухо, чтоб не слышать этот позор.

— Я все узнаю. Смотри мне...

Она достает миску из раковины. Грязную, с пятнами и присохшими остатками еды. Наполняет ее и кивает, мол, неси.

Я подчиняюсь. Двигаюсь, как во сне, как зомби. Просто разворачиваюсь и выполняю команду.

— Хотя нет. Постой.

Рита водит указательным пальцем возле своего лица, смотрит Аркадию в глаза. И я знаю, что это значит.

Ее забавляет, что я могу менять внешность. Ее это веселит, и Аркадия этот факт успокаивает.

Она не станет срезать у Аркадия лицо. Не будет портить дар. Какая-то безопасность. Но это еще не значит, что Аркадию совсем не о чем беспокоиться. Есть много частей тела, которые она может отделить от меня. У нее фантазии хватит.

— Отнеси ей, как Брэд Питт. Пусть порадуется девочка.

Я хочу орать. Хочу взять табурет и врезать Рите со всего размаху. Припечатать подсвечником по ее свихнувшейся голове. Но Аркадий против.

Аркадий послушно напрягает мышцы. Раздувает щеки. Двигает бровями. А я замечаю на подоконнике вазу.

Он шипит, свистит, морщит лоб. Ноздри Аркадия быстро шевелятся, словно крылья мотылька. А я подхожу к подоконнику и беру в руку цветочную вазу. Как потом напишут в сводках, убийство совершено тяжелым тупым предметом.

Аркадий двигает губами, покусывает их. Он широко открывает рот. Сипит. Он меняет лицо и не дает мне напасть на Риту. Он потеет, а я не могу сопротивляться.

Возвращаю тупой тяжелый предмет на подоконник, и Брэд Питт уносит завтрак в спальню.

Оставляю миску на полу, Аркадий старается больше не рассматривать девушку. Он поправляет миску, подсовывает под край ложку. Ставит рядом кружку. Поворачивает кружку ручкой в другую сторону. Одобрительно качает головой. Затем быстро переставляет кружку в другую сторону и вот сейчас удовлетворенно улыбается.

— Иди на кухню, — слышится голос Риты за спиной. — Сядь за стол. Жди и закрой там дверь.

Она говорит, чтобы минут двадцать ее не беспокоил.

— Сиди тихо! И не выходить из кухни!

Аркадий оборачивается.

Она уже в кресле. Она уже готова к представлению. Она чувствует, что жертва вот-вот проснется.

— Что застыл? Проваливай! — Рита зло шипит, машет на меня руками и старается случайно не разбудить девушку.

Я иду мимо кресла, к выходу. Шторы-веревочки гладят мои плечи и сами наматываются мне на кулак.

Достаточно просто развернуться. Подкрасться со спины. Набросить удавку. От шнурка на коже Риты мгновенно образуется красная полоска. Губы изменят цвет на синий. Глаза вылезут из орбит, как у силиконового китайского шарика антистресс.

У Аркадия сильная хватка. Несколько секунд — и с Ритой будет навсегда покончено.

Я отрываю одну веревочку. Растягиваю ее. Смотрю на тонкий спасительный шнурок. Так сильно сжимаю кулаки, что в месте, где намотана веревка, белеют пальцы.

Я готовлюсь. На счет три...

Раз.

Я застываю на месте. Мои сильные ноги — сжатые пружины. Мощные руки Аркадия — стальные тиски.

Два...

Я готов к прыжку. Я готов.

Три.

Аркадий убирает веревку в карман и быстрым шагом идет на кухню.

Сажусь за стол, упираюсь головой в столешницу. Аркадий ждет. Я ничего не могу с этим поделать. Жду вместе с ним.

Вот-вот раздадутся крики. Дверь плотно закрыта, но я знаю, что это меня не спасет. Крик, оглушительный, нестерпимый, вот-вот ворвется в помещение и врежется в уши Аркадия.

Аркадий прижимает к лицу полотенце. Ему страшно. А я чувствую запах ирисок. Переворачиваю полотенце, нюхаю еще раз.

— Ириски.

Сердце Аркадия сбивается с ритма. Я знаю, он тоже знает, что означает этот запах.

Я убираю полотенце, и Аркадий встает к двери. Он сейчас решится, и я ворвусь и спасу девушку.

Рита умеет замаскировать запах формалина. Сладкий химикат меняется. Он еще узнаваем, если ты часто работаешь с формалином, но все больше напоминает запах конфет.

Рита смешивает ингредиенты. Вводит их человеку под кожу, и ткани жертвы подолгу не разлагаются. Благодаря ее изобретению лицо жертвы на долгие годы поселяется на голове одного из манекенов в ее шкафчике.

Она готовит это вещество только в одном случае.

«Когда жертве наступает пора умереть», — хором с Аркадием заканчиваем мысль.

Сейчас начнется симфония крика.

Это мой шанс. Я проберусь в комнату и прикончу Риту. Аркадий опять сопротивляется. Его тело трясется, и он сажает меня на место. Я борюсь с ним. Уговариваю... Бесполезно. Силой с Аркадием тоже не совладать. Остается ждать.

И я жду.

Я знаю, что как только девушка закричит, меня ничто не остановит. Аркадий впадет в свой ступор, и я поспешу на помощь в соседнюю комнату.

Крика все нет.

Если Рита и решила, что сегодня пленница умрет, все равно она не стала бы пропускать утреннюю симфонию.

Девушка еще жива. Я уверен. Или нет?

— Почему я не слышу крик? Кричи. Кричи! — доносится голос Риты из соседней комнаты.

Аркадий напрягает слух.

За стенкой Рита о чем-то беседует с жертвой. Аркадий прислоняет ухо к розетке. Но слов все равно не разобрать. Рита явно чем-то недовольна. Рита говорит, но ей никто не отвечает.

Слышу, как хлопает входная дверь, ключ проворачивается в замке. Похоже, Рита ушла.

Она приказала сидеть и ждать. Нельзя выходить из кухни, но я поворачиваю ручку и тяну дверь на себя.

Шаг за шагом Аркадий неуверенно проходит коридор. Останавливается возле штор-веревочек. Он не смотрит в комнату. Он не слышит крики, а это может значить, что картина ему не понравится. Возможно, ему уже предстоит расфасовывать по пакетам остатки очередной жертвы.

* * *

Аркадий стоит в коридоре, прислонившись к стене. Он уверен, что знает, что так сильно взбесило Риту. Вероятно, жертва мертва. Пленница, скорее всего, умерла сама. И Рите не довелось напоследок поистязать ее.

Аркадий проверяет входную дверь. Заперто. Рита закрыла на нижний замок, значит, скоро вернется. Он хочет успеть прибраться до ее возвращения и порадовать.

Я захожу в комнату. Кресло, в котором только что сидела Рита, валяется перевернутое на полу. Аркадий машинально поднимает и возвращает его на место.

— Ты кто? — раздается слабый голос из угла.

Аркадий замирает. Я хочу посмотреть в сторону матраса, но Аркадий не дает. Он поправляет кресло и выбегает в коридор.

— Подожди. Не уходи. Умоляю.

Аркадий не шевелится. Он тяжело дышит. Ему кажется, что тот голос может принадлежать только самому прекрасному существу на планете. Он в этом не сомневается.

Аркадий опирается спиной о стену. Он надеется, что девушка не догадается и решит, что он ушел.

Он стоит согнувшись. Прикрывает рот и нос рукой, чтобы она не услышала его дыхания.

Я наклоняюсь и выглядываю одним глазом через веревочки.

— Помоги мне. — Девушка не кричит. Она просто говорит. Похоже, плакать у нее попросту не осталось сил.

Я не отвечаю. Пытаюсь понять, что произошло. Аркадий же только что собирал шприцы. Использованные. Рита вколола ей препарат. Сомнений нет. Почему тогда инъекция не работает как обычно?

Почему девушка все еще жива?

— И почему ты не кричишь? — вырывается изо рта Аркадия вопрос.

Он прячется за стену в коридоре, кусает себя за кулак. Другой рукой бьет себя по голове со словами дурак-дурак, молчи.

— Я не знаю. Этим утром не болит.

Аркадий весь вспотел. Лоб блестит. Он трет ладони об штаны, но это не помогает.

— Тебе делали вчера укол? — заикаясь спрашиваю ртом Аркадия.

— Да.

Может, у нее выработался иммунитет? А может, Рита изменила состав или просто ошиблась в пропорциях.

— Ты меня отпустишь?

Аркадий делает короткий выдох. Его что-то тянет в комнату. В глубине его трусливой души я знаю, он хочет помочь, хочет спасти самое прекрасное существо на планете. И я этим пользуюсь, захожу в комнату.

Колени Аркадия трясутся. Чтобы не упасть, он опирается на спинку кресла.

— Отпусти меня.

Аркадий хочет все рассказать. Что он здесь ни при чем. Он непричастен к ее мучениям. Хочет объяснить, что он просто не может, что он не смеет помочь ей бежать.

— Я здесь такой же пленник, как и ты, — говорит Аркадий, а мне противно слушать его бесхребетное нытье.

— Но тебя никто не держит. Ты же не привязан.

Аркадий трогает себя за шею. И в самом деле, он не пристегнут к стене. Цепь висит в чулане.

Я подхожу ближе.

Аркадий встает на четвереньки на матрасе и мотает головой. Он хочет вскочить, побежать и спря-

таться на кухне, а я продолжаю тянуться к девушке, хочу развязать ей руки.

Она забивается в угол.

Аркадий сопит, рычит. Он борется со мной.
А я не уступаю. Лучше момента не придумаешь.
Отпущу ее, и будь что будет. Справлюсь с Аркадием, тоже удеру, не получится — смерть не такой
плохой из вариантов.

— Дай я развяжу, — говорю, а Аркадий брызжет
слюной по сторонам, как бешеный зверь.

— Отойди. Не трогай меня.

— Я хочу!

Аркадий бьет себя в живот и сопит, как бешеный зверь.

— Умоляю, не надо!

— Я хочу тебя! — заставляю рот Аркадия про-
износить слова.

— Только не это. Пожалуйста! Прошу тебя.

— Я хочу тебя... освободить, — удается закон-
чить фразу.

Аркадий хватает за ногу девушку и притягивает
к себе. Она не может сопротивляться. Она слишком измотана. Я пытаюсь развязать узел. Аркадий
рычит, хочет убежать и пристегнуть себя в чулане.
Мне все труднее справляться с этим трусливым си-
лачом.

Я понимаю, что сейчас мне не освободить бедняжку.

— Я тебе помогу, — говорю я и убираю руки Аркадия за спину. — Я придумаю, как тебя спасти. Ты... Только не умирай.

Девушка не может плакать, но я могу себе представить, что она сейчас чувствует.

Аркадий вырывается. Я не могу его контролировать. Он вытаскивает руки из-за спины. Я больше не могу ему помешать. Он хватает девушку за бедра и раздвигает ей ноги.

Он рычит, он себя тоже не контролирует. Он сейчас воспользуется беспомощным положением пленницы.

Аркадий наваливается на девушку сверху. Трется о нее. Он кусает беспомощную за щеку.

Раздается щелчок замка. Аркадий подскакивает. Рита вернулась.

Не думал, что буду так радоваться ее возвращению.

Аркадий поправляет майку и одним прыжком возвращается на кухню. Он садится за стол. На свое место. Глаза зверя наполняются страхом, и я снова могу контролировать его, свое тело.

— Что здесь произошло? — слышу голос Риты.

Девушка ей не отвечает. Рита спрашивает, откуда кровь, а в ответ девушка лишь постанывает.

Сейчас Рита догадается. Сейчас она зайдет и сядет за стол. Прямо напротив Аркадия. Она точно все поймет. Увидит его возбуждение. Его обезумевший взгляд.

— Что здесь произошло? Спрашиваю!

Рита бьет девушку. Я слышу звонкие пощечины.

Пленница не признается. Возможно, она поняла, что я на самом деле хочу помочь.

Рита спешит на кухню.

— Что произошло? Мне кто-нибудь объяснит?

Я поднимаю глаза. Рита всего в метре от меня. Одна рука у нее за спиной. Вторая в крови пленницы.

Аркадий вот-вот взмолится и зарыдает.

— Ничего особенного, — говорю уверенно.

Рита не ожидала такой реакции. Готова была услышать сопливые оправдания, извинения. Но мой голос звучит спокойно.

— Тогда, может, объяснишь, откуда у нее кровь? — Рита показывает испачканной рукой на стену в ту часть, где сейчас лежит пленница.

Я встаю из-за стола. Решительно. Без тени страха. Побороть сразу двоих, и Аркадия и Риту, я никак не смогу. И я это прекрасно понимаю. Здесь понадобится хитрость.

Прижимаю к себе Риту. Мощные руки Аркадия со всей его возможной нежностью обнимают ее плечи.

— Она обидела тебя. Я не мог этого так оставить. — Я говорю, а руки Аркадия гладят ее по спине.

Я шепчу ей на ухо комплименты и чувствую, как успокаивается Рита, как благодарен мне Аркадий. Как моя глупая маска признательна мне за находчивость.

Рита замечает, что в нее упирается что-то твердое из штанов Аркадия, и отвечает на поцелуй.

Она торопливо спускает юбку. Ткань застревает у колен, и Аркадий помогает избавиться от назойливой одежды. Не отрываясь от поцелуев, Рита рукой сбрасывает все со стола.

Печенье разлетается по полу, и место сахарницы на столе занимает наполовину обнаженное стройное женское тело.

Рита постанывает. Изгибается. Она прощает Аркадию его утренний проступок. Она все ему прощает. А я ищу способ перехитрить эту парочку и сбежать. Стол ритмично раскачивается, ударяется о стену, а я стараюсь придумать план.

— Укуси меня, — задыхаясь, произносит Рита. — Как ее. Укуси.

Аркадий неловко наклоняется, не может достать щеку. Приходится прервать процесс, обойти сбоку.

Он кусает Риту, а я просчитываю варианты. Мне достаточно совладать с Аркадием. Рита часто оставляет его одного, и если я придумаю, как его уговорить...

— Ты с ней это делал? — неожиданно Рита поднимается и слезает со стола. — В глаза мне смотри.

Аркадий делает, как сказали, недоуменно смотрит прямо в глаза и мотает головой. Он хочет отступить и чуть не падает, запутавшись в спущенных штанах.

— Не ври мне! Ты это делал? — Рита кричит. — Ты трахал ту тварь?

Аркадий отнекивается. Он бессвязно бормочет что-то о том, что ему нужна только Рита, о том, какая она прекрасная.

Он выпаливает комплимент за комплиментом, это Аркадию дается с трудом. А я не собираюсь его спасать. Рита угрожающе прячет руку за спину. Банальщина вырывается из испуганного рта Аркадия. Скучные, пошлые, избитые фразочки.

Но, кажется, это срабатывает.

Рита успокаивается.

Она занимает свое место на столе, манит пальцем и кивает, мол, продолжай, красавчик.

Аркадий борется с обмякшим прибором. А я думаю, что такими темпами можно заработать себе импотенцию.

К моменту, когда Рита с Аркадием закончили и повалились без сил, у меня уже был готов план.

Совсем не идеальный. И не до конца продуманный. Но план.

Остается подготовиться, дождаться удобного момента. Я спасу и себя, и бедную пленницу.

* * *

— Продолжим в обычном режиме.

Федор Петрович сбавляет натиск. Он, естественно, не о моем здоровье заботится. Он боится за пропавшую девочку. Думает, если продолжит в том же духе, их единственный источник сломается.

Я и сам больше не настаиваю на гипнозе. Хватило.

После последнего сеанса до сих пор не пришел в себя. Галлюцинации, зуд в заднем проходе и неутихающая головная боль.

Я проглатываю таблетку, запиваю.

Стакан вновь наполняют до краев, и новая нераспечатанная пачка сигарет ложится возле липкого слоненка.

— Аркадий. Я знаю, что сейчас тебе трудно сосредоточиться. Но нам важно, чтобы ты продолжил рассказывать. Что еще можешь вспомнить?

Я знаю, что их интересует. Им нужны детали интерьера. Описание местности. Что-то, что укажет или сможет помочь отыскать место. Понятно. И я тоже хочу спасти девочку, но я рассказал все, что помнил. Невозможно добыть из сухофруктов фреш.

— Может, мы проедем по тем адресам, где я бывал с Ритой, и мне удастся что-нибудь вспомнить? Может, например, в кафе, которое...

Меня перебивает недовольный голос. Кто-то из присутствующих гневно выкрикивает, что не охренел ли я, что еще и прогулку ему подавай.

Федор Петрович показывает помощнику, и недовольного выводят из зала. Я не вижу, но уверен сейчас: шумного хватают под руки и ведут. Он сыплет проклятиями в мой адрес и покидает помещение.

Я не обижаюсь.

Мы все устали. Нервы не выдерживают. Скоро и я взорвусь и начну орать на всех.

Скоро, это значит ждать недолго — это плохая новость. Хорошая же новость в том, что, кажется, лжепсихиатр теперь на моей стороне. Похоже, считает мое предложение приемлемым.

Возможно, он наконец догадался, что я искренне хочу помочь. Возможно, он даже верит в мою невиновность.

— Мы не можем позволить вам выйти. Догадываетесь почему?

Потому что мне все еще никто не верит.

— Не верите?

— Дело не в том. Я вижу, вы действительно хотите нам помочь. Но. Если вы соберетесь бежать... Боюсь, прогулки исключены.

Да я не собираюсь никуда бежать. Я же невиновен!

Просто чувствую, что должен попасть в те дворы. Я почти уверен, что мне нужно вернуться туда, где бывал с Ритой. Чувствую, что там разгадка. Там я все вспомню.

— Не обижайтесь, — говорит Федор Петрович и готовится записывать.

Он опять ко мне на вы. Но, кажется, на этот раз врач демонстрирует свое уважение.

Сейчас, пока они застыли в своей нерешительности, где-то на другом конце города Рита мучает, а может, убивает беззащитную девочку.

Мне нужно выбираться. В конце концов, если я спасу девочку, никто и не вспомнит, какими средствами.

Я попрошусь в туалет.

Меня под конвоем отведут в уборную.

Один охранник останется у входа, другой пойдет со мной до самой кабинки, встанет вплотную к двери и будет слушать, чем я там занимаюсь.

Доберусь до кабинки.

Попрошу снять наручники.

Он откажет. Не суть важно, главное, начать с ним диалог и усыпить бдительность.

Неожиданно напасть.

Я должен вырубить его одним ударом. Бесшумно, не дай бог, второй услышит. Оттащить и приковать поверженного наручниками к трубе. Переодеться, скопировать его внешность.

На все у меня есть не больше пяти минут.

Затем выйти в образе охранника, и электрошоком обезвредить второго конвоира. По указателям идти к выходу.

У дверей ждет последний контроль. Желательно молчать. Сослаться на плохое самочувствие, демонстративно покашлять.

Покинуть здание.

Скорее всего, скроюсь. Скорее всего, спасу девочку.

А еще, скорее всего, я не все учел. Вероятно, план дырявый.

Охрана серьезная. Они боятся оставлять меня одного. Они боятся оставаться со мной наедине. Выпусти меня, и на самом деле с большой вероятностью сбегу. Если даже в туалет по двое водят.

Боятся...

— Мне нужно в туалет, — говорю и начинаю вставать.

Федор Петрович дает знак, и ко мне подходят двое.

Сейчас. Началось.

Меня ведут, а я прокручиваю порядок действий. В конце, на выходе, не забыть покашлять. На все у меня будет не больше пяти минут.

— Стоп. — Оборачиваюсь и смотрю на доктора. — Я знаю, как поступить, — говорю и улыбаюсь.

Впервые присутствующие видят мою неподдельную улыбку.

Федор Петрович ждет, что я предложу. Зрители замирают, прекращают шептаться. А я иду на место и двигаю бровями.

Я им докажу. Лучше один раз увидеть. Сажусь за стол и разминаю губы. Морщу лоб, массирую виски. Так они убедятся, что я на их стороне. Поймут меня. Покажу, на что способен, и они поверят мне. Я закрываю ладонями лицо, грею кожу, растираю.

Так я покажу, что не врал им. Что все это время говорил правду.

Убираю руки от головы и выпрямляю спину.

— Простое решение — татуировка! — говорит мой голос из лица Федора Петровича.

Напротив психиатра сидит точно такой же человек. Даже не близнец, полный клон. Те же брови, те же скулы. Только одежда отличается. Два врача сидят и смотрят друг на друга, словно перед зеркалом.

Федор Петрович роняет ручку на пол. Зрители, покажи я им такой фокус при других обстоятельствах, например, в цирке, аплодировали бы стоя, но сейчас ах ужаса проносится по помещению.

— Татуировка. Чем не выход?

— К-к-как?

— Ну. Чернила под кожу. Я не разбираюсь в тонкостях. Пригласить специалиста, он знает как.

— Как такое возможно? — Федор Петрович трогает себя за лицо.

Я расслабляю мышцы. Лицо возвращается к привычному виду. Хватит издеваться над побледневшим врачом.

Федор Петрович пьет из моего стакана. Он теперь не отрываясь смотрит на меня. Он изучает мое лицо.

— Видите? Чистая правда. И я бы мог удрать отсюда и самостоятельно попытаться найти девочку. На это мне потребовалось бы около пяти минут. Но мой побег отвлек бы полицию от поисков Риты. Понимаете меня? Поэтому я все еще здесь.

На самом деле не поэтому.

Во-первых, я не уверен, что смог бы удрать. А во-вторых, я знаю, что один не справлюсь. Знаю и то, что они без меня тоже не справятся. Единственный выход — совместная работа. И сейчас они мне все верят. Наконец-то верят.

— Откуда нам знать, что Аркадий, это ты? — справившись с шоком, говорит доктор. — То есть как нам знать, что ты настоящий?

Он все еще трогает себя за лицо. Его руки трясутся.

Моя демонстрация повлияла иначе, чем я рассчитывал.

Теперь возле меня стоят четверо охранников. Мой жест расценили, как еще большую опасность, как угрозу. Я не только не завоевал доверие, я лишь усугубил положение.

Доктор теперь считает, что я мог убить человека, скопировать его внешность и жить дальше, выдавая себя за другого.

Мысль здравая. На его месте я тоже, наверное, так подумал бы. Но я проклятый Аркадий.

— Я Аркадий. У вас мои документы, — говорю и сам понимаю, как не убедительно звучит. — Хотел бы я быть не Аркадием. Быть успешным и богатым. Не работать на проклятой стройке полжизни. Не сидеть здесь, подозреваемым в убийствах, обманутый и брошенный единственной женщиной, которую любил.

Я запинаюсь. Я только что признался, что люблю Риту? Не им признался, себе. Выходит, я люблю кровожадного маньяка?

Как же болит голова.

Федор Петрович делает записи. Он совсем меня не слушает. Он хочет поскорее забыть все фокусы, хочет переключиться после моей яркой демонстрации, хочет продолжить свой обычный допрос.

— И я не могу держать маску долго, — говорю, как бы вдогонку.

Доктор игнорирует мои слова. Делает вид, что ничего не произошло.

— Так что насчет тату? — Федор Петрович говорит медленно, старается вернуть самообладание.

— Я понимаю, вы боитесь, что я сбегу. И поэтому я согласен. Клеймите. Поставьте на мне метку. Прямо на лице. — Я убираю волосы со лба. — Тогда мы сможем отправиться на поиски, и вы не будете бояться, что я обману и незаметно удеру.

Федор Петрович мотает головой. Он растерян и напуган. Он знает, что нельзя соглашаться на мое предложение, а также он знает, что каждая минута промедления может стоить жизни девочки.

— Думаю, мы вполне можем посетить места преступлений.

— Если татуировку долго делать, можем порезать. Шрам на лице тоже ничем не скроешь. — Я провожу ногтем по щеке.

— Исключено. Есть гораздо более цивилизованные средства. — Он встает из-за стола и выходит за дверь.

* * *

Я сижу за столом.

Федор Петрович сказал, что он знает, как меня вывезти на место преступления, и куда-то вышел.

Аркадий разглядывает свой ноготь. А я жду и стараюсь не слушать, о чем говорят присутствующие.

Затем слышатся громкие споры за дверью, и доктор возвращается.

Он энергично захлопывает дверь. И по его виду я могу судить, что у доктора все получилось.

На меня надевают кандалы, пристегивают руки и ноги. Проверяют замки. Доктор протягивает капсулу, говорит, чтобы я проглотил. Говорит, это gps маячок.

Я глотаю.

— И еще вот это. — Врач достает шприц и предлагает закатать рукав.

— Транквилизаторы?

— Нет. Тоже маячок. На случай если один откажет.

Угу. Или на случай, если первый я не проглотил.

— Делайте, что считаете нужным, — говорю я, закатываю рукав и выставляю руку.

Меня везут через весь город. В кандалах, под присмотром четверых вооруженных полицейских.

На них черные маски. Маски, наверное, дополнительная предосторожность. Они нужны, чтобы я не смог скопировать их внешность, а может, им просто так положено. Не знаю наверняка. Сомневаюсь. Зато они ни секунды не сомневаются, что я задумал неладное.

Никто из них не верит, что я хочу помочь. Им кажется, что я хитростью выклянчил прогулку, чтобы если не бежать, так хотя бы насладиться свежим воздухом.

Федор Петрович едет в другой машине за нами. Он набрал разной аппаратуры, прихватил свои записи, набил полный багажник, и я видел, как он зачем-то нацепил кобуру.

Мы выезжаем на трассу. Ясное дело, никто не собирается везти меня через центр.

По объездной и с мигалками.

За окном мелькает лес.

Один в маске стучит по крыше, и машина останавливается.

— На выход! — командует он и выталкивает меня на обочину.

Толкает с такой силой, что я со свистом вылетаю из двери, спотыкаюсь. Мне еле удается удержаться на ногах.

Трудно в кандалах прыгать так, чтоб не покатиться кубарем. Он тянет меня за воротник, я машу руками в наручниках, и мне ничего не остается, как распластаться на спине перед машиной.

— Что здесь творится? — слышится крик Федора Петровича.

Он торопится к нам. Его не подпускают, говорят, что ему туда нельзя. Он угрожает, что за такое их всех уволят или посадят. А я кое-как переворачиваюсь на живот и встаю.

Вижу, как доктор пытается пробиться ко мне, но ему преграждают путь, говорят извините, у нас приказ.

Кто-то со спины бьет меня по ногам. Колени подкашиваются — и мой нос встречается с асфальтом.

— Не помнишь ни хрена, говоришь? Я помогу освежить твою память, — говорит сквозь зубы полицейский и с размаху бьет меня дубинкой по спине.

Больно? Да. Но... Такое чувство, что это не самая сильная боль, что я испытывал в жизни.

Полицейский лупит по спине, Федор Петрович пытается остановить беспредел, а я прислушиваюсь к ощущениям. Кажется, полицейский способ прочистить мозги и освежить память работает.

Я что-то вспоминаю. Это сидит в глубине, так глубоко, что и не вытащить. Я спрятал от себя воспоминания, и мозг упорно сопротивляется вывалить их наружу. Это что-то меня пугает.

— Можешь чуть сильнее? — поворачиваю голову, хочу посмотреть, кто меня бьет, но вижу лишь ботинки.

— Зат-кнись! — произносит полицейский, разделяя слово ударами.

Он бьет долго. Без остановки. Бьет и бьет. Но не достаточно сильно. Я знаю, что Аркадий нащупал правильные воспоминания. Тонкое, еле уловимое ощущение.

Федор Петрович отталкивает полицейского и загораживает меня собой.

— А ну остановитесь! Вы чем вообще думаете? Вы хоть понимаете, что девочка умрет?

Полицейский стаскивает маску. Его светлые волосы, мокрые от пота, налипают на лоб. Он довольно крепкий и выглядит молодо, но его лицо сплошь покрыто морщинами.

— Я понимаю. Я легонько.

— Легонько? Вы идиот? А если вы повредили голову? Человек с расстройством, и без того спутанные показания дает.

— Я не трогал голову.

— А ну хватит мне тут! Если с девочкой что-то случится из-за вас...

— Федор Петрович. Вы делайте свою работу как надо, тогда мне не придется делать свою как не надо.

Крепкая рука поднимает меня за шкирки и сажает в машину. Дверь громко захлопывается. Через закрытое окно я слышу, как припираются доктор с полицейским.

Доктор командует разворачиваться. Говорит, что нужно вернуться. Полицейский против, но, похоже, в этой ситуации мой врач главнее. Полицейский плюет под ноги и с досадой командует напарникам по машинам.

Мы разворачиваемся и едем обратно. Впустую потраченное время.

— Доволен? Урод.

Я не отвечаю. Я, естественно, не доволен. Мы ни на шаг не приблизились к поимке Риты.

— Что вылупился? Хочешь запомнить лицо? — Полицейский садится ровно. — На! Запоминай!

Я могу его напугать. Но мне нет никакого интереса копировать ничем не примечательное морщинистое, с мешками под глазами, обрюзгшее лицо. Мне безразлично, но по привычке я отмечаю опорные черты. Скулы, нос, уголки рта...

— Запомнил? — Он подсаживается ближе и продолжает говорить мне на ухо: — Запомни вот еще что. Если мы не найдем девчонку, мое лицо, это последнее, что ты увидишь перед смертью.

Он угрожает, хватается за оружие, хочет меня запугать, а я сожалею о впустую потраченном времени. Нужно включиться. Нужно активизировать все доступные резервы. Нужно собраться.

— Продолжай, — говорю и толкаю плечом морщинистого.

Он смотрит на меня и не понимает, чего я хочу.

— Сворачивай. Отвези меня, где потише, и избей.

Полицейский растерян.

Он ожидал от меня чего угодно, но не этого. На его лице отпечатывается раздражение. Во взгляде читается испуг. Он сейчас вертит у себя в голове мысль о том, что я на самом деле больной псих. А я пытаюсь объяснить свой вполне логичный план.

Я говорю, что что-то вспомнил. Что-то нащупал. Боль помогает. Говорю, что боль — это ключ. Говорю, что нам стоит попробовать.

— Просто нужно сильнее.

Он отсаживается от меня.

Он анализирует, что такого я задумал. Он, естественно, хочет меня избить. Очень хочет поддаться искушению. А еще он понимает, если план не сработает, Федор Петрович прав, его уволят. И даже если сработает и я что-то ценное сообщу, в чем он сомневается, у него проблем прибавится. В лучшем случае выговор, отстранят и разжалуют.

— Нужно попытаться. И так слишком долго возимся. И никакого результата. — Я говорю и сам удивляюсь своей убедительности. — Если ничего не предпримем, девочка умрет.

Полицейские переглядываются.

Морщинистый без слов советуется с напарниками. Он смотрит на коллег с немым вопросом.

Он не спрашивает, как поступить, он не ищет их поддержки. Он хочет узнать ответ на вопрос «кто со мной?». Без слов понятно, что все участвуют.

Он дважды стучит по металлической перегородке, и водитель сворачивает на грунтовую дорогу.

По рации слышится обеспокоенный голос Федора Петровича. Он спрашивает, что случилось, почему изменили маршрут. А водитель прибавляет ходу, а я концентрируюсь и напрягаю память.

Наш автомобиль скрывается в лесу. Проносится между деревьев. Рация молчит. Она отключена, и теперь фразы доктора не прерываются шипением. Полицейские выводят меня и ставят к дереву. В сосновом лесу отчего-то пахнет ирисками.

— На нем маячок. У нас минут пятнадцать, — говорит полицейский своим напарникам, они приступают.

Я пытаюсь вспомнить, почему боль ассоциируется с Ритой, а ботинки, чередуясь с дубинками, встречаются с моим животом, спиной, плечами, шеей. На этот раз боли вполне достаточно. Достаточно настолько, что я уже пожалел, что напросился. На этот раз никто не скромничает, не стесняется бить изо всех сил. На этот раз смогу вспомнить.

— Осторожно с головой, — говорю задыхаясь и падаю на колени.

* * *

Щелкает замок. Проворачивается ключ. Дверь открывается. Слышны шаги в прихожей. Это Рита возвращается из магазина.

Ей были нужны инструменты, так она всегда говорит.

На самом деле врет.

В кладовке полно инструментов, самых разных, на все случаи жизни. От молотка и отвертки до бензопилы и среднеразмерной наковальни. Рита любит делать покупки в строительном магазине. Она говорит, ее это расслабляет. Кто-то любит выбирать сумочки, мерить туфли дорогих брендов, а она получает удовольствие от разглядывания гвоздей, рубанков, складных портативных слесарных наборов, лопат новых моделей и прочих чудо-секаторов нового поколения. В доме есть все, чему позавидовал бы трудолюбивый слесарь, плотник, электрик или сантехник. Здоровенные мотки проволоки, катушки с веревками, цепи. Вроде бы еще я видел у нее на полке коробку от промышленного фена и сварочный аппарат. Трудно себе представить, для каких целей она собирает все это хозяйство.

В прихожей раздается грохот.

Рита разувается. Она стаскивает с себя сапоги и попутно жалуется на высокие цены. Сетует, почему даже самая примитивная обыкновенная лучковая пила стоит так дорого.

— Она что, из золота?

Рита ставит сумку, та ударяется об пол с тяжелым металлическим лязгом. По звуку можно судить о содержимом. Что-то крупное и объемное. Я почему-то сразу представляю дрель без упаковки или болгарку. Или гирю.

— Аркадий?

Она зовет, но Аркадий не отвечает.

— Ау-у. Аркадий? — повторяет Рита, но никто не отзывается.

Я молчу, Рита ждет, а Аркадий не отвечает. Да и не ответит. Он сейчас далеко. Он сейчас, можно сказать, спит.

Это часть моего плана.

Рита снова зовет Аркадия и садится возле пленницы. Она принюхивается. Как волчица, водит носом из стороны в сторону и что-то вынюхивает. Она тянет девушку за ногу.

— Где он?

В ответ девушка мотает головой и пожимает плечами.

— Отвечай!

Девушка молчит.

Рита смотрит на балкон, проверяет прихожую.

Она ходит по дому на цыпочках, ищет и рассуждает вслух. Она говорит, так-так, обувь на месте. Она несколько раз повторяет, что обувь на месте, и сама себе отвечает, что раз ботинки дома, это значит и Аркадий где-то в доме.

Она осматривает кухню, ищет в чулане. Она говорит, что сейчас найдет озорника.

— В прятки решил поиграть? А? — Рита вживается в роль, улыбается, хочет подыграть.

Она отдергивает занавеску в надежде застать врасплох прячущегося.

— Его там нет.

— О. Заговорила. Надо же.

— Он ушел. Я видела, как он выходил.

— Да? Босиком ушел? Ботинки на месте.

Девушка не отвечает.

У Риты настроение меняется за секунду, никогда не знаешь, к чему приведет лишнее сказанное слово. Лучше промолчать.

— Что у тебя с голосом? — Рита садится на край матраца и пристально рассматривает пленницу. — Заболела?

Она спрашивает, не простудилась ли ее жертва.

Рита хочет исключить случайную смерть. Она хочет в полной мере насладиться страданиями пленницы.

Девушка мотает головой и отодвигается на безопасное расстояние. Рита не отстает и подсаживается ближе.

— Тогда говори. Куда ушел?

— Не знаю, но его здесь нет.

Рита улыбается своей загадочной, хитрой улыбкой. Я хорошо знаю это выражение лица. Она так делает, когда задумает что-то нехорошее.

Рита возвращается к ботинкам. Пинает их.

— Неужели кроссовки напялил? Вот идиот. Я же запретила их надевать.

Рита идет на кухню, напоследок бросает хитрый взгляд на пленницу и уходит по коридору.

Крышки гремят о кастрюли, вода льется в раковине.

Судя по звуку, сейчас Рита достает с верхней полки тарелку. Чайник на плите. Вот отодвигается стул. А этот звук — Рита задергивает занавеску.

Я, сидя здесь, точно знаю, чем она там занята. Я, как летучая мышь, вижу через звуки.

Вот Рита идет к холодильнику. Ее ноги шлепают по липкому полу. Вот она достает недоеденный фалафель. А это пиканье — микроволновка сигналит, что закончила разогревать.

Запах отсюда не почувствовать, но готов поспорить, она собирается жевать свою тушеную траву с соевыми заменителями мяса.

Сейчас она поужинает и ляжет спать.

На кухне включается телевизор.

Какой-то боевик показывают. Слышны выстрелы, взрывы. Через каждое слово фак-фак.

Остается немного подождать. Час, может, два. Рита уйдет в свою комнату и уснет, мы тихонько проберемся к выходу. И свобода. Для девушки уж точно спасение. А если посчастливится, и Аркадий не запаникует, я тоже удеру.

Я слышу, как с характерным звуком выключается телевизор. Пульт занимает свое место на столе.

— Пойду, — говорит Рита как бы сама себе, но достаточно громко, чтобы было слышно во всем доме.

Она говорит и специально топает ногами, показывает, что уже идет.

— Приму ванну. Полежу.

Что?

После этой фразы у меня начинается паника. Какую еще ванну? У меня начинает кружиться голова. Что-то пошло не так. Холодный пот проступает, сердце, кажется, сейчас сломает пару ребер.

Рита прекрасно знает, что ванна грязная. В ней нельзя мыться, тем более лежать. Ванна даже не подключена. Только душ, но в это время напор маленький, лучше подождать до утра.

— Слышишь? Я мыться. — Теперь она точно обращается ко мне, я в этом не сомневаюсь.

Все. Конец.

Значит, она догадалась. Значит, мой план не сработал. И все из-за Аркадия. Слишком много времени пришлось потратить на проклятого труса.

Рита топает в коридоре.

Она заходит в комнату. Проходит мимо кресла, вдоль матраса. Подходит к стене, к которой прикована девушка.

— Помоюсь, потом с тобой решим, — говорит она и поддергивает пленницу за цепь.

Рита внимательно осматривает звенья, проверяет прочность.

Проверяет ошейник, дергает замок на нем. Она ничего не заподозрит. Все застегнуто на совесть, я лично дважды проверил. Рита еще раз дергает за цепь и удивленно приподнимает брови.

— Хм, надежно. Странно.

Она разворачивается и идет к ванной.

— Зачем мыться? Ты и так чистая, — говорит ей вдогонку испуганный женский голос.

Рита останавливается в дверях.

Она поднимает руку, и я вижу в ней ключи от ошейника. Она трясет связкой, как колокольчиком. Все трясет и трясет.

А я судорожно проверяю. Под покрывалом пусто. Просовываю руку под матрас, проверяю. Ключей нет...

Попался.

Когда и как она успела их вытащить?

Рита перестает звенеть ключами.

— Зачем мыться, спрашиваешь? А затем, что это единственное место, — она говорит и все еще стоит спиной ко мне с поднятой рукой, — единственное, где я еще не проверила. — Она начинает смеяться. — Уверена, меня там ждет сюрприз. Правда, Аркадий?

Рита оборачивается.

У нее лицо светится от счастья. Она разоблачила. Она раскусила, перехитрила обманщиков.

Рита подмигивает и бросает ключи себе под ноги.

Я карабкаюсь за ними, цепь натягивается. Я цепляюсь руками за матрас, пытаюсь дотянуться. Ошейник душит. Я разворачиваюсь, тянусь ногой. Все впустую.

— Тишь-тишь. Не лопни от натуги. — Она издевается, подвигает связку ближе ко мне. Говорит мне: занимайся — и выходит из комнаты.

Ключи совсем рядом. Всего в нескольких сантиметрах от ноги. Стараюсь, но мне никак не дотянуться. Я рычу от негодования. Дергаю руками цепь. Я в ловушке.

Я сам себя загнал в эту дурацкую западню. Теперь и мне, и бедной девушке конец.

Рита как-то догадалась, что на матрасе сейчас я вместо пленницы.

Слишком, слишком долго возился с проклятым Аркадием. К моменту, когда удалось его подчинить, Рита уже вставляла ключ в замок. Все, что мне оставалось, сказать пленнице спрятаться и посадить себя на цепь вместо нее. Я как смог изменил лицо, что успел переодел, и нацепил ошейник. Баран. Зачем я застегнул замок?

На самом деле, план был хорош. Мы просто не успели. Приди Рита на десять минут позже, все было бы по-другому.

Не успели.

Трусливый Аркадий упорно не хотел подчиниться.

Доказывал мне свое главенство. Никак не мог понять, что он, это лишь моя удобная маска. И теперь бедная девушка прячется за шторкой в душе. Теперь Рита идет на охоту. Теперь она подкрадется и резко отдернет занавеску. А там девушка. Сидит, зажмурилась, трясется, ждет и надеется на меня. Рассчитывает на меня. Надеется, что я отвлеку Риту. Ждет обещанной возможности для побега.

— А кто тут у нас? — доносится из ванной голос Риты.

Визг пленницы, переходящий в крик ужаса, врезается мне в уши.

Я зажимаю голову руками, мне невыносимо это слышать. Я подвел. Это все из-за меня. Это все из-за Аркадия.

Я не хочу, но слышу шлепки. Рита ругает и хлещет девушку по лицу. Рита истерически хохочет, девушка всхлипывает.

Я рычу. Я безуспешно стараюсь дотянуться до ключей.

— Хороший сюрприз вы мне приготовили, — кричит через смех Рита и продолжает избивать пленницу.

Кажется, она искренне рада нашей попытке сбежать.

Я цепляю ногой кресло. Оно падает набок. Я хочу подтянуть его за ножку и использовать как крюк. Ошейник душит. Делаю глубокий вдох и снова пробую пододвинуть кресло.

В ванной продолжается возня.

Я знаю, девушка не сопротивляется. Это Рита крушит все, что под руку попадается. Бьет чем попало свою жертву и хохочет.

Сумка с новыми инструментами в прихожей. Не дай бог, Рита пустит их в ход. Мне нужно торопиться.

Кое-как достаю ключи.

В связке много маленьких, от ошейников, и один большой от замка, что крепит цепь к стене. Аркадий много раз ими пользовался, в другой ситуации я с ходу определил бы, какой ключ от моего ошейника. Но сейчас у меня просто нет времени выбирать подходящий, хватаю самый большой. Вставляю в замок. Проворачиваю. Цепь слетает с петли.

Свободен.

Я помогу.

Собственными руками придушу Риту. Подбегу и стану душить. Без разговоров. Душить. И я не отвернусь. Буду смотреть, как ее мерзкое лицо искривляется от боли. Как синеют ее губы. Как на ее шее под моими пальцами проступает кровь. Наблюдать, как ее ноги скользят по мокрой плитке, как она ногтями цепляется за жизнь. Как в ее глазах взгляд хищника меняется на беспомощный молящий о пощаде. Но я не пощажу.

Не дождется, тварь.

Вооружаюсь цепью, наматываю свободный конец на кулак, пропускаю часть звеньев под мышкой, на случай, если Рита начнет бороться. Если ухватит за поводок, это не даст ей меня задушить.

Хочу подняться.

Но меня останавливает неприятное ощущение в правом плече. Я смотрю на плечо, из него торчит здоровенный шприц.

— Какой прыткий, — говорит Рита у меня за спиной. — Вот за что я тебя люблю, Аркадий.

Прежде чем потерять сознание, успеваю разглядеть окровавленное лицо пленницы. Она, кажется, еще дышит.

Рита швыряет девушку на матрас рядом со мной, выдергивает шприц из моего плеча, наполняет и делает укол пленнице.

Я лежу, не могу пошевелиться.

Аркадий бормочет, что он не виноват, что его заставили, а я надеюсь, что завтра не проснусь.

Рита повторяет, какой прыткий, какой прыткий и расплывается в пространстве, вместе с размазанными маслеными красками стенами, потолками, креслом и пленной девушкой.

Проклятый Аркадий. Проклятые ириски. Этот запах, самый отвратительный на свете.

Я дотрагиваюсь до лица пленницы. Оно в крови, и мои пальцы становятся липкими. Словно во сне, я поднимаюсь. Тело, которое должно было уже окаменеть, все еще двигается. Шатаясь и цепляясь за стены, я иду на кухню. Каждый шаг отдается острой болью в голове.

Рита наблюдает. Она мне не пытается помешать. Она идет следом. Наверное, хочет посмотреть, что я задумал.

Аркадий опирается локтем о стену. И я пишу кровью на стене. Прямо над обеденным столом.

Пишу послание. Шифр, понятный одному мне. Набор символов, тарабарщина, но это поможет мне вспомнить. Я не собираюсь снова потерять память. Пальцы выводят на стене буквы выдуманного алфавита.

Наутро, когда препарат подействует и я все забуду, эта надпись — единственное, что мне поможет.

Рита смеется.

Говорит, что и не догадывалась, что во мне дремлет настоящий Пикассо. Она хохочет, и ее голос становится демонически низким.

Сейчас на кухне смеется надо мной не хрупкая девушка, а жуткий демон из самой преисподней.

Укол продолжает действовать.

Я больше не могу контролировать Аркадия. Он снова завладел моим телом. Это его защитная реакция, это мой инстинкт выживания.

Когда Рита удостоверится, что Аркадий вернулся, что он стал прежним, что он больше не угроза, все пойдет по-старому. Она его не убьет, можно даже не мечтать. Утром она сядет в кресло, последит за моей симфонией. Затем приготовит завтрак. Позовет к себе Аркадия. Накормит и напоит. И она больше не забудет сделать ему инъекцию. Она проконтролирует. Еще она проследит, чтобы я больше никогда не смог помешать Аркадию принимать ее лекарство. Все. Второго шанса у меня нет.

Больше Рита не допустит прокола.

Я чувствую, как трудно Аркадию стоять. Он готов упасть прямо здесь, на кухне.

Рита приговаривает, что все хорошо. Говорит, что не нужно бороться. Говорит, чтобы я расслабился и шел в постельку.

А я и не сопротивляюсь. Я сдаюсь.

Не пойму почему, но Аркадий все еще борется. Он обводит мое послание. Он удивляет и себя и меня. Куда-то подевался его страх. Куда-то испарился мямля.

Аркадий поднимает с подоконника что-то тяжелое, и с разворота тупой тяжелый предмет встречается с головой Риты.

Я падаю на пол.

Аркадий лежит без сил. Рита лежит рядом. Пленница без сознания в соседней комнате. Может, она мертва?

Я закрываю глаза и надеюсь, что завтра утром никто из нас четверых не проснется.

* * *

— Ты любишь улиток? Они такие маленькие и беззащитные.

Рита садится на край стола и ставит возле себя кастрюлю.

Она поднимает крышку, смотрит туда и опускает в кастрюлю руку. Она что-то вылавливает и достает из воды ракушку.

— Не любишь? А я их просто обожаю.

Рита разглядывает асимметричную, овально-коническую улитку.

Раковина бледно-коричневого, ближе к бежевому, цвета, с размазанным узором, напоминающим географическую карту какой-то неизвестной планеты. Гладкая, глянцевая. Она узкая у основания и расширяется кверху. Ее вершина увенчана короной из мелких топорщащихся пупырышек. Так и хочется поднести ее к уху и послушать звуки моря.

Улитка не подает признаков жизни, но можно не сомневаться, внутри прячется какое-то ужасное голодное существо.

Рита возвращает ракушку в кастрюлю и вытирает руку о свои распущенные волосы.

Она закидывает ногу за ногу, запрокидывает голову и закрывает глаза.

— Ах. А ты пробовал их на вкус? Я про улиток. — В ее голосе чувствуются нотки ностальгии. — Некоторые люди любят всякие экзотические блюда. Ну разных там лягушек, тараканов.

Она открывает глаза, смотрит на обнаженную распятую на столе жертву и стучит извивающееся тело по животу.

— Судя по тебе, вполне мог пробовать. А? Разве нет? Что молчишь?

Рита закрывает ладонями рот и смеется.

Она говорит, ой, ты же не можешь ответить. Она показывает катушку ниток и иголку.

— Пока ты... Да... Пока ты крепко спал, я зашила тебе рот. — Она смеется глупым смехом, тем, который используют гламурные дамы, чтобы скрыть свой промах. — Ты не против, что я так поступила?

Она складывает ладони и подсовывает их себе под подбородок. Она любуется своей работой.

Рита говорит, что, наверное, зря зашила. Да еще без спроса. Говорит, что не знает, как теперь им общаться. Как делиться мнениями, эмоциями. Хотя шов, говорит она, получился ровным, стежок к стежку. Не ювелирная работа, но начинающий хирург позавидовал бы.

— О! Я, кажется, придумала. А давай, если ты киваешь, это значит «да». Ну а если «нет», просто промолчи. Договорились?

Жертва не реагирует.

Рита хмурит брови.

— Это значит нет? Тебе не нравится моя игра?

Рита поднимает за палец руку пленника, так чтобы он мог ее видеть. Она говорит, подумай еще раз или попрощайся с мизинцем.

Жертва трясется. Стонет. Часто и глубоко дышит. Ноздри склеиваются на вдохе и тихо присвистывают на выдохе. Грудь вздымается, как поддув для кузнечного горна.

— Так что? Поиграем? — Она прислоняет ножницы к его мизинцу.

Жертва судорожно кивает головой. Кашляет, рот напрягается, нитки впиваются в губы. Жертва стонет от боли. Извивается, старается унять первшение в горле.

Рита говорит, что так-то лучше.

Говорит, что рада, что им все же удалось найти общий язык. Она говорит, что теперь им будет не скучно. Теперь они здорово проведут время. Говорит и нажимает на ножницы.

— Поздно! — Рита кричит и размахивает перед лицом жертвы отрезанным пальцем.

Она смеется и говорит, что не виновата.

Говорит, что нужно было сразу отвечать и быстрее соображать. А то, говорит, как с планшетом разгуливать и унижать людей, так горазд, а как с хорошенькой девушкой поиграть, так сразу в кусты.

Рита говорит, что парень, наверное, не так себе представлял этот вечер, когда настаивал на своем «познакомиться поближе». Она трогает парня за пенис его отрезанным пальцем. Оттягивает за крайнюю плоть и говорит, чтобы он не дергался. Говорит, что не сделает ничего плохого. Сейчас просто хочет оправдать его ожидания. Он наверняка планировал, что разденется и что она потрогает его сардельку.

— И не мычи мне тут. Держи себя в руках. Ты же мужчина!

Рита опускает окровавленный мизинец в кастрюлю с ракушками. Она размешивает им воду словно ложкой и бросает на дно.

— Так вот. Возвращаясь к нашей беседе. Улитки. — Рита поднимает брови и складывает губы трубочкой, словно эксперт. — Есть такие улитки... Тебе, кстати, интересно?

Она смотрит в упор на жертву.

Ждет.

Поднимает выше ножницы, двигает ими «чик-чик» и шевелит указательным пальцем другой руки из стороны в сторону.

— Молодец! — хвалит она пленника, после того как он кивает.

Она достает ракушку и продолжает рассказ.

Рита говорит, что это одно из самых ядовитых существ на планете. Она гладит узорчатую раковину, переворачивает ее, чтобы пленник мог рассмотреть ее получше со всех сторон.

Улитка конус. Conus geographus — вид брюхоногих моллюсков из семейства конусов.

Она говорит, что яд этой улитки парализует человека. Улитка выстреливает смертоносный токсин через специальный орган, через гарпун. Она говорит, что противоядия не существует. И единственный шанс спасти человека, это обеспечить вентиляцию легких.

— Понимаешь? Искусственно поддерживать дыхание и ждать, пока яд выйдет из организма. — Рита разводит руками.

Одной капли яда улитки конуса достаточно, чтобы убить как минимум двадцать человек.

Она говорит, что использует этот яд в своем парализующем уколе-коктейле. Чуть-чуть. Самую малость.

Из ракушки высовывается склизкая коричневая масса. Она двигается, болтается в воздухе, ищет опору. Длинный проворный хоботок тянется из узкой части раковины. Улитка словно обнюхивается.

Рита говорит, у этой улитки есть зубы. Заостренные шипы, направленные назад. Говорит, что этот вид улиток, в отличие от прочих, не прячется. И если чувствует опасность, если ее побеспокоить, конус отреагирует агрессивно. Это рыбоядный хищник.

— Он не знает страха и нападает в ответ.

Рита кладет слизня на стол, и тот тянет свой скользкий проворный хоботок к бедру жертвы.

Рита говорит, что держать конус в руке тоже опасно, его гарпун может изгибаться во все стороны, и он достаточно длинный.

— Если она ужалит, — Рита стучит ногтем по улитке, — ты не сможешь дышать. Задохнешься и умрешь. Теперь понимаешь?

Она говорит, что гарпун способен пробить многослойный гидрокостюм ныряльщика, не говоря уже про обычную тонкую кожу человека.

Она говорит, нервно-паралитический яд действует мгновенно. Она говорит, что после укуса смерть наступает за считаные минуты.

Жертва извивается на столе. Пытается отодвинуться от конуса. На ногах от ремней появляются синие следы. Пленник мычит, мотает головой, изгибает спину.

— Не переживай. Я хорошо подготовилась. Я обо всем подумала и все предусмотрела.

Рита достает из-под стола кислородную маску и подключает ее к баллону. Она отвинчивает вентиль и делает несколько вдохов.

— Не бойся. — Она выдыхает невидимый газ, словно дым от сигареты, и делает еще вдох через маску.

Рита наклоняется, чтобы надеть устройство на лицо жертве. Но пленник изворачивается и не дается.

Рита натягивает крепление на макушку пленнику и опускает маску ему на лицо. Резинка цепляется за ухо и застревает на полпути.

— Вот незадача. — Она поддевает ногтем край согнувшегося уха и подвигает резинку. — Ничего-ничего. Я помогу.

Она достает из кармана халата скальпель. Проводит острие быстрым точным движением возле головы жертвы.

— Какая странная сережка у тебя.

Она вытирает кровь и подносит к свету отрезанное ухо. Она разглядывает бижутерию в мочке.

— Такая широкая. Похожа на пробку от бутылки. Ты ее, что ли, из пробки сделал и покрасил?

Парень плачет и кривится.

— Скажи, а такие сережки больно вставлять? Дырки же такие здоровенные. Смотри, палец без труда пролезет.

Рита швыряет ухо на пол.

Бьет пленника в живот. Говорит, что это не вежливо молчать, когда старший обращается. Что такое поведение неприемлемо. Нельзя игнорировать старших и постоянно мычать.

Говорит, что он человек, а не корова, и что она уже устала слушать его «му-му». Договорились же, киваешь — «да», не киваешь — значит, не согласен. Рита говорит, что ее раздражает такое поведение. Говорит, что все послушные мальчики себя так не ведут.

— Ты же послушный мальчик?

Рука парня вырывается из разболтанного крепления, и он со всего размаху бьет Риту по лицу.

Рита падает на пол, переворачивает кастрюлю, и улитки конусы рассыпаются по комнате. Розовая от крови вода разливается по комнате.

Парень торопится развязать вторую руку.

Пальцы трясутся. Суета мешает, но он сейчас не в состоянии успокоиться. Освобождает руки и уже возится с ошейником. Предательский замок не поддается. На кисти, из того места, где совсем недавно крепился мизинец, все еще сочится кровь. Пальцы проскальзывают, не получается крепко схватиться за крепление и потянуть.

Пленник мычит, сопит, тянет ошейник, дергает его во все стороны.

— Плохой. Невоспитанный мальчик.

Рита поднимает с пола отрезанный палец и идет к стене напротив стола с пленником.

Она пишет на стене каракули, использует палец жертвы вместо кисти. Она пишет так, чтобы пленник мог разглядеть надпись.

Она выводит кровью незнакомые слова на незнакомом языке и объясняет, что однажды ее любимый написал эти строки. Написал на прощание. И в память о нем Рита каждый раз повторяет надпись.

Копирует, хоть ни слова не понимает.

— Скажи, красиво? И так романтично.

Рита разглядывает алые буквы с подтеками, прикусывает ноготь отрезанного пальца и не обращает внимания на стоны и безуспешные попытки ее пленника освободиться.

— Может, когда-нибудь сделаю татуировку с этой надписью.

Она поднимает с пола ухо и вставляет отрезанный палец вместо сережки.

Рита возвращается к столу.

В руке у нее пила. Она прикрепила ухо с пальцем к навершию пилы. Она водит тупой стороной по своему плечу, примеряет угол. Затем показывает пленнику, чтобы тот положил руку на стол.

— Ну не начинай. Чего упрямишься?

Пленник задирает руки наверх, угрожающе сжимает кулаки и готовится к борьбе.

— Вот зачем ты? Так же не честно. Опять будешь себя винить. Я же не собиралась этого делать. Первый начал. Так что...

Она ставит руки по швам, вытягивается по стойке смирно и предлагает за ней повторить.

— Какой ты неудобный. — Она убирает пилу в сторону. — Ладно.

Она хватает за одну руку, повисает на ней и, уворачиваясь от ударов, тянет ее на себя и вниз под стол.

Парень сопротивляется.

Рита упирается ногами в столешницу и резко дергает на себя. Рука хрустит и повисает, как тряпочка. Звук сломанной кости громкий, отчетливый. Рита падает на пол.

— Вот чего сейчас мычать? Вот чего? — Она говорит спокойным тоном, которым родители поучают нашкодившего ребенка. — Я предупреждала. Ты же опять сам виноват.

Рита встает, обходит с другой стороны стола и проделывает то же с другой рукой. Вторая рука гораздо слабее. Не приходится помогать ногами. Похоже, парень правша.

Рита закрывает уши, ей неприятно слышать мычание.

Она пересаживает улитку, которая почти свалилась, с края стола на грудь жертве. Коричневое брюшко слизня присасывается к коже и ползет вниз, к животу. Парень пытается сбросить с себя слизня, но боль заставляет лежать смирно.

Рита фиксирует и пилит руку возле плеча. Пилит, кровь брызжет, закрепленное ухо на пиле то приближается, то отдаляется от лица жертвы. А она шепотом приговаривает, что нужно было уважать старших. Что не важно, чем человек занят, работает он банкиром или листовки раздает, его следует уважать.

— Видишь, к чему приводит неуважение?

Она складывает в пакет руку. Бросает в него же ухо и палец. Поднимает с пола оставшихся улиток и расставляет на столе.

— Хотела бы я тебе сказать сейчас не дыши. Но... Лучше уж напоследок надышаться. — Она смеется над своим каламбуром.

Парень дергает плечом, размахивает оставшейся частью руки и распрыскивает кровь по сторонам.

Рита говорит, чтобы он не переживал. Говорит, что парень не умрет от кровопотери.

Она говорит — фас, и тыкает улиток по раковине. Злит, расшевеливает конусы. Она провоцирует и приказывает атаковать.

Мерзкие коричневые слизни высовываются из своих разноцветных глянцевых домиков. Тонкие хоботки сканируют пространство перед собой.

Конусы медленно и неотвратимо приближаются к своей жертве. Они ползут, оставляя за собой на столе липкую прозрачную полоску.

Быстро, незаметно человеческому глазу, десяток улиток практически одновременно жалят измученного пленника. Их острые гарпуны молниеносно впиваются ему в ноги, в бока, в шею.

Парень застывает. Он не успевает издать ни звука. Замирает. Словно пластиковый манекен. Его глаза смотрят в одну точку. Ресницы едва заметно подрагивают. Его глаза слезятся.

Он больше не моргает, не хрипит, не борется. Обрубок руки безвольно повисает на плече. Грудь не вздымается.

Рита улыбается. Она складывает слизней в кастрюлю, поправляет маску на лице парня и поддает напор кислорода в аппарат жизнеобеспечения.

Она знает, что парень еще жив.

Она подбадривает его, обещает, что все будет хорошо. А в ее руке снова поблескивает скальпель.

Рита подсаживается ближе к голове жертвы, наклоняется, поднимает кислородную маску и целует зашитые синие губы парня. Ее язык зигзагом пробегает по аккуратному шву туда обратно.

С трудом она отрывается от поцелуя.

Возвращает на место кислородную маску и отточенным движением проводит лезвием по контуру лица вдоль подбородка.

Она не торопится.

Шепчет, семь раз отмерь, один отрежь, и продолжает вести острием, врезаясь до самой кости, через лоб вдоль волос. Красная полоска мгновенно заплывает кровью. Рита вытирает подтеки салфеткой, поддевает кожу ногтем и начинает снимать кожу.

Рита надеется, что жертва все видит и чувствует. Она так хочет, чтобы он еще жил. Она напевает детскую колыбельную и отделяет перекошенное лицо от черепа.

— Представь, я забыла. — Она вскакивает и обращается к окровавленной голове. — Забыла банку, для твоего... Вернее, для моего лица.

Она наспех моет руки, переодевается.

— Никуда не уходи. Я скоро вернусь. — Она говорит, поддевает сумочку и выходит из комнаты.

Тело жертвы больше не дышит.

Баллон все еще выдувает кислород, но легкие больше не откликаются. Тело больше не чувствует стука сердца. Не чувствует боли. Оно сейчас спокойно остывает и даже не догадывается, что его крохотную часть скоро замаринуют в фирменном растворе Риты.

Когда Рита вернется и наполнит помещением запахом ирисок, парню будет все равно.

Когда Рита обработает его лицо и натянет на голову одному из пластмассовых манекенов, пленник не будет возражать.

Рита ловит такси.

Она со всех ног торопится домой за своим бальзамирующим средством. Она расплачивается с водителем. Она не дожидается сдачи. Она поднимается по лестнице, вбегает в прихожую. Хватает банку с полки, попутно бросает Аркадию: «Привет». Она в предвкушении. Аркадий растерян. А забытая на столе улитка продолжает жалить бездыханное тело жертвы.

Гарпун раз за разом безжалостно впивается в холодную кожу и раз за разом впрыскивает свой инсулиновый токсин.

* * *

Аркадий заваривает чай.

Он не любит чай. Но Рита запретила брать кофе, и теперь он вынужден довольствоваться заваренными зелеными китайскими листьями с двумя ложками сахара.

За окном солнечное утро. Каркают вороны.

Он пьет. И ему не вкусно. А я сижу за столом и разглядываю загадочные символы на стене.

Аркадий протягивает руку к надписи и пробует пальцем краску. Красная, слегка коричневатая. Похоже на кровь.

— Засохшая юшка, — говорит он.

Аркадий облизывает палец, и я понимаю, что это и вправду чья-то... Точно, надпись сделана кровью.

Аркадий думает, что это, наверное, кровь животного, может овечья. Но зачем было портить стену? И что на этой кухне делать животному? И он, и я знаем, что Рита не ест мясо.

Я стараюсь прочитать. Язык сломаешь об эту надпись.

— Это какая-то тарабарщина...

Непроизносимый бессвязный набор незнакомых размазанных пугающих символов.

Чувствую, как Аркадию не терпится спросить об этом Риту. Он хочет спросить ее, что значит этот странный узор на стене.

Но Рита давно не появляется дома.

В последнее время вообще много странного происходит. Уже несколько дней я живу один.

Нет нашей молчаливой соседки. Ее матрас пуст, цепь отстегнута и валяется в коридоре. Рита куда-то исчезла. В душе кто-то оборвал шторку и теперь, когда моешься, приходится направлять струю на стену и следить, чтобы вода не попадала на пол.

Но это все ладно... Самое странное, что уже который день я совершенно один в пустом доме.

Рита никогда, начиная с самого знакомства, не оставляла меня одного так надолго. Ну как одного, с Аркадием, если быть точным.

— Куда все запропастились?

Аркадий не отвечает.

Он никогда не отвечает.

А еще он готовит просто отвратительно. Настолько скверно, что приходится самому стоять у плиты и помогать. Вчера я почти уговорил его купить мясо. И он почти отказался от своего травоедения. Но в результате поужинали пересоленной тыквенной кашей.

Раковина забита. В ней тухнет гора грязной посуды. Аркадий не хочет ее мыть, а я и не настаиваю. Ту еду, что мне доступна, можно и без тарелок, и без приборов есть.

Ко всему прочему телевизор не работает. Включаешь, а на экране только помехи. Аркадий лазил на чердак, проверял антенну. Надо сказать, он умеет чинить все. Собирался отремонтировать и ее. Но все без толку. Похоже, дело не в антенне.

От скуки я уже не знаю, чем заняться. Хоть ты садись и читай. Книг, слава богу, полно. Начиная от художественной литературы с русскими классиками девятнадцатого века, заканчивая учебниками по актерскому мастерству и толстенными медицинскими анатомическими атласами.

Выйти прогуляться? Так некуда. Кругом лес.

Я собираю с полок и раскладываю перед собой книги.

Подбираю все, что связано с шифрованием. Все, что может мне пригодиться при расшифровке загадочной надписи.

Сортирую по стопкам. Различные системы шифрования, литературные справочники, словари, таблицы кодов.

Аркадий помогает.

Он копирует надпись со стены на листок и кладет на стол передо мной. Он готовит стопку чистых листов и садится поудобнее.

Он пьет чай, и ему не вкусно.

Я разворачиваю первую попавшуюся книгу о шифровании. Раскрываю на странице с шифрами замещения.

Там написано, что это один из самых простых вариантов.

Говорится, что мне повезло, если я столкнулся именно с таким. Дальше рекомендуется начать с поиска слов, состоящих из одной буквы. Находим такое, после путем замены и подстановки перебираем варианты и взламываем послание.

Я смотрю на наш шифр. Надпись содержит всего три слова. Первое состоит из трех символов, второе из одного, третье слово из семи.

Аркадий мотает головой.

Запомнить букву из второго слова и подставить в другие не получится. Этот символ повторяется всего один раз.

И это никак не приближает нас к разгадке.

Читаю дальше.

Мне советуют найти наиболее часто употребляемые символы и буквы шифра. Предлагают поискать двойные символы и короткие слова в зашифрованном тексте.

В кровавом ребусе есть четыре повторяющихся символа.

— Три из них в первом слове, два — в третьем.

Я рассуждаю вслух, а Аркадий помечает на листке все мои находки. Кажется, он и не собирается думать. Он по своему обыкновению механически выполняет физическую часть и старается не мешать.

В книге написано, что нужно обращать особое внимание на апострофы и прочие символы вокруг.

Еще раз внимательно смотрю на послание.

На картинке я вижу лишь подтеки и восклицательный знак в конце надписи. Никаких дополнительных апострофов или чего-то похожего. Подтеки крови явно не специально оставлены...

— А восклицательный знак, он и в Африке восклицательный, — говорит Аркадий и смеется над своей тупой шуткой.

— Есть шифр, должен быть и ключ, — продолжаю рассуждать вслух и проглатываю подсахаренный зеленый чай.

Листаю книгу.

«Полиалфавитные шифры».

В них создаются шифрующие алфавиты.

Для такого шифрования часто используют символы нескольких алфавитов. «Шифр Тритемиуса», использует таблицу символов в двадцать шесть клеток. И это усовершенствованный шифр подстановки.

Я несколько раз перечитываю абзац, но никак не могу разобраться в коряво составленном тексте.

Мне уже надоедает.

У меня недостаточно терпения, да и что скрывать, недостаточно мозгов для таких занятий.

— По алгоритму шифрования, каждый символ смещается на символ, отстающий от данного символа на некоторый шаг. — Аркадий медленно читает вслух. Он искренне хочет мне помочь.

А я закрываю книгу, достаю сигарету и сажусь ближе к окну. Аркадий обыкновенно против курения, но сегодня не протестует и послушно затягивается никотином.

Я отдергиваю занавеску и смотрю во двор.

— Где сейчас Рита?

Аркадий, естественно, молчит.

— Ты не помнишь, когда в последний раз ее видел?

Я знаю, что он ничего не скажет. Я говорю, просто чтобы говорить, просто чтобы не сидеть в тишине.

— Нет.

Аркадий говорит «нет», и я от неожиданности давлюсь дымом и начинаю кашлять.

Он впервые мне ответил. Впервые со мной заговорил.

Вернее, он и раньше вставлял свои пять копеек, но только сейчас осознанно вступил со мной в диалог.

— Если честно, я вообще слабо помню, что произошло. — Он стряхивает пепел и сует сигарету мне в рот. — И я не совсем понимаю... Вернее, совсем не понимаю, что сейчас происходит. — Он говорит, и я слышу, что голос Аркадия звучит абсолютно как мой. Тот же тембр, та же интонация. — Почему я здесь? Где моя Рита? И что это вообще за место такое?

На этот раз молчу я.

Я не знаю, что ответить.

Я и сам не помню, как очутился здесь. Помню, что уже давно живу в этом доме. Знаю, где чулан, в котором Аркадий пристегивает себя к цепи на ночь. Сейчас, кстати, тоже пристегивается, несмотря на то что Рита давно не возвращалась.

Я помню, что в соседней комнате живет... Жила девушка...

— Потерял память?

Аркадий спрашивает, и, естественно, он уже знает, что я отвечу.

— Помню обрывки, — отвечаю, несмотря на то, что знаю, что Аркадий уже давно знает мой ответ.

— Это из-за укола, — говорит Аркадий и запинается.

Я спрашиваю, какого еще укола, и машинально трогаю себя за плечо.

— Это.

— Же.

— Я.

— Написал.

— На.

— Стене.

— Тот.

— Шифр.

По очереди с Аркадием произносим фразу, я бросаю окурок и бегом возвращаюсь за стол. Кажется, я что-то вспомнил. Кажется, нащупал что-то невероятно важное.

— Это послание тебе? — Аркадий спрашивает шепотом, чтобы не мешать мне думать.

— Не знаю, — почему-то отвечаю тоже шепотом. — Думаю, я написал что-то важное. И я, похоже, знал, что все забуду. Поэтому, видимо, и разбросал эти крошки.

— Какие?

— Ну как Гензель и Гретель, — отвечаю все еще шепотом. — Ай, да не важно! — говорю во весь голос, отмахиваюсь от надоедливого Аркадия и еще раз перечитываю послание.

Я перелистываю исписанную страницу. Просматриваю пометки. Совмещаю символы и записываю на ладонь то, что получается.

— Первая буква «и».

Я уверен.

Не могу объяснить почему, но уверен. Дописываю на ладонь и подставляю в шифр буквы.

— Значит, третья в этом слове. Еще четвертая и шестая в другом, тоже будут «и», — говорим хором с Аркадием.

Я пересчитываю символы, обвожу их в кружок, фиксирую результаты. Сопоставляю данные и подставляю их в формулу.

Я продолжаю записывать правильные буквы на ладонь.

Следую по стрелке из таблицы, прочерчиваю через весь листок линию, считаю и переписываю.

Когда последний символ занимает место на руке, Аркадий громко и четко зачитывает вслух:

— Иди в полицию!

Аркадий счастлив. Наконец нам удалось разгадать послание.

Он хлопает в ладоши, радуется как ребенок, выпивает остывший чай и плюется чаинками. А я смотрю на это все и думаю, что я уже много раз видел на стене эту надпись. Эта далеко не первая. И еще я думаю, что ох не просто будет мне убедить Аркадия пойти со мной.

На руке написано: «Иди в полицию!»

И я чувствую, что нужно поторапливаться. Иначе случится что-то жуткое, что-то непоправимое.

А еще я чувствую страх Аркадия. И уверен, что боится он совсем не напрасно.

* * *

— Эти надписи сделал я. Вернее, не все. Только одну из них, — говорю, шепелявлю. Нижняя губа сильно опухла, болит, и мне трудно выговаривать слова.

Федор Петрович не смотрит на меня. Он, скорее всего, знает, о каких надписях я говорю, но хочет, чтобы я сам пояснил.

— Те, что на фотографиях. Вы спрафывали. — Терплю боль и повторяю более разборчиво. — Спрашивали, что значат те символы. Я вспомнил.

Десна кровит, я с трудом проглатываю густую слюну. Она теплая, тягучая, с металлическим привкусом.

Федор Петрович в курсе, чего мне стоило вернуть память. Каким способом мне вправляли мозги.

Он каждый раз тяжело вздыхает, когда видит мое избитое, все в синяках опухшее лицо. Он старается не смотреть на забинтованные ребра. Он не хочет замечать гипс.

— Что ты вспомнил, Аркадий? — Доктор говорит и даже не смотрит в мою сторону.

Федор Петрович прекрасный специалист.

Теперь я в этом не сомневаюсь. Он мастер своего дела. И он наверняка знает, что по инструкции нужно смотреть мне прямо в глаза. Только в глаза. Он безукоризненно выполняет все остальные предписания. Но не может заставить себя посмотреть на меня.

Я знаю, Федор Петрович чувствует свою вину за мои травмы.

— Вспомнил мнофо всехо... — прокашливаюсь. — Много всего вспомнил. Начну, как всегда, по порядку.

Смотрю на стакан. Он полон. Наполнен кемто предусмотрительным до самых краев. Чувствую жажду. Я хочу попить. Очень хочу. Но самому мне не справиться. Мне бы сейчас трубочку... Но я не стану у них просить. Пошли они все...

Обойдусь.

Я начинаю рассказ.

Говорю и вижу довольное лицо полицейского, который меня избил. Он знает, что именно благодаря его работе я сейчас поведаю новые детали. Он удовлетворен. И ему ничего плохого за это не сделали. Вопреки его опасениям, ему даже выговор не назначили. Он сидит теперь, гордый, с высоко поднятой головой. Цепляет носом потолок и, как бы со стороны, наблюдает за мной, за своим триумфом. Он получил двойное удовольствие — помахал кулаками вдоволь, потрепал ненавистного подозреваемого и после вдобавок выслушал благодарности от своего начальства.

Радуется.

И я его не осуждаю. Я ему даже благодарен.

Если мои переломы хоть как-то помогут спасти девушку, я готов позволить раскрошить мне все, что осталось.

Я рассказываю, что вспомнил.

Как проснулся тем утром. Как пил тот не вкусный, до тошноты отвратительный зеленый чай. Как ломал голову над кровавым шифром со стены.

Я поясняю, что в тот момент я не помнил ничего.

Говорю, что когда удалось разгадать послание, я почувствовал, что должен действовать.

Я вернулся в город.

Обратился к первому попавшемуся полицейскому за помощью. И тот меня тут же арестовал. Без всяких объяснений или предупреждений. Просто схватил, скрутил, отпинал и заковал в наручники.

Чуть позже из разговоров стало ясно, что я оказывается «тот самый». Что, оказывается, ориентировки с моим описанием разосланы чуть ли не по всему миру.

— Он меня арестовал. И вот я здесь. Сижу перед вами.

Я без спроса подвигаю к себе блокнот психиатра, вырываю из него страницу. Зажимаю между пальцем и гипсом карандаш и рисую свой шифр.

Получается не очень аккуратно, но суть ясна. Переворачиваю листок надписью к доктору и протягиваю.

— Эта означает «Иди в полицию!». — Эта фраза дается легко. Я совершенно не шепелявлю.

Я ловлю удивленный взгляд психиатра.

Что его смущает? То, что я все-таки вспомнил? Или, может, неожиданный смысл фразы? Или настораживает, что я перестал шепелявить?

Он долю секунды смотрит мне в глаза и тут же суетливо возвращается к записям.

Я говорю, что сам придумал этот шифр. Как напоминание. Памятка для самого себя.

— Понимаете?

Объясняю, как именно расшифровываются знаки.

Говорю, что это вынужденная мера.

— Тот препарат, который использует Рита, полностью глушит воспоминания. Делает из человека болванчика. И я не придумал ничего лучше, как оставить себе скрытое послание.

— Препарат?

Я киваю.

— Она делает жертве укол. Рита называет его «коктейль». После него человек не может сопротивляться. Мне... Она применяла его и ко мне.

Федор Петрович говорит, что медэкспертиза не выявила никаких сомнительных препаратов в телах жертв. Он спрашивает, уверен ли я в том, о чем говорю.

Он сомневается в моих показаниях, а если точнее, в достоверности моих новых воспоминаний.

— Аркадий, а ты не мог ошибиться? Ты ничего не путаешь? Ты в этом абсолютно уверен? — Врач спрашивает и осуждающе смотрит на довольного полицейского.

Кажется, он даже ненавидит сотрудника, ослушавшегося его приказа. Федор Петрович очень переживает за меня. Это заметно.

Вернее, не лично за меня, а за своего пациента-информатора.

Вчера, когда он подоспел мне на помощь, я уже лежал на обочине задыхаясь. Я почти потерял сознание, но слышал, как Федор Петрович кричал на полицейских.

Он называл их садистами. Говорил, что теперь, если, не дай бог, пациент по состоянию здоровья не сможет продолжать диалог, смерть девочки будет на их руках.

— Я уфефен. — Глотаю кровь. — Я уверен. Абсолютно.

Я говорю, что Ритин коктейль парализует.

Говорю, что под воздействием препарата тело не слушается, но человек продолжает все чувствовать.

Я рассказываю, что происходит с телом наутро. Описываю в мельчайших подробностях все свои ощущения.

Федор Петрович хмурит лоб и говорит, что догадывается, какие препараты действуют схожим образом. Он встает и ходит вокруг стола. Это совсем на него не похоже.

Все они сильнодействующие лекарства строгой учетности. Он говорит, что если мои слова хотя бы отчасти правда, то это действительно очень полезная информация.

Он садится на место.

Одной рукой врач подпирает подбородок, пальцами другой руки отстукивает по столу ритм. Как стук колес. «Тук-тук». «Тук-тук».

Единицы людей в городе, кто имеет доступ к подобным медикаментам. Он говорит, что теперь круг подозреваемых значительно сужается.

Теперь у следствия есть реальная ниточка, существенная зацепка.

— Хах! — вырывается у полицейского радостный возглас, и он торопливо маскирует его под кашель.

— Еще. Кохта. Ко-г-да я в аоследний... В последний раз видел пленницу, она была жива.

Присутствующие сдерживают радость. То, что тогда она была жива, это еще ничего не значит.

Федор Петрович замирает. Пальцы больше не выстукивают ритм.

Он спрашивает, не вспомнил ли я, случайно, каких-нибудь подробностей о том месте, где держат, где держали девушку. Он спрашивает. Он, конечно же, ждет. Но по его тону я могу судить, что он и не надеется услышать что-то новое, что-то полезное.

Но его... Но их всех ждет сюрприз.

Я помню.

Я прекрасно помню тот дом. Тот лес.

И я готов показать то место.

— Я могу показать это место.

От неожиданности доктор дергается и подскакивает на стуле. Он спрашивает, могу ли я показать на карте, и я киваю — без проблем.

Федор Петрович отстукивает по столу «тук-тук», полицейский вот-вот проткнет крышу здания своим носом, а я тыкаю пальцем в карту и говорю вот здесь.

— Он поедет с нами! — говорит Федор Петрович и торопится к выходу.

Все выходят.

На этот раз на меня надевают только наручники. Похоже, я наконец-то заслужил доверие. Или просто бинты и мой покалеченный жалкий вид не вызывают опасений.

Федор Петрович настаивает, и меня сажают к нему в машину. Он говорит, что теперь ни на шаг не отойдет от меня.

Сажусь. На заднем сиденье, между двумя полицейскими. Спереди мостится доктор, за рулем никого.

— Где же он? — спрашивает врач, имея в виду водителя.

— Он передумал ехать, — говорит через окно полицейский, который вчера меня избил.

Он, как в кино, перепрыгивает через капот, скользит толстой задницей перед лобовым стеклом и вскакивает за руль к нам в машину. Он тяжело дышит и трет саднящий после удара кулак.

Полицейский-садист говорит, что с ним надежнее, просит Федора Петровича пристегнуться, и мы едем.

По дороге я объясняю, что когда в последний раз я был в том доме, ни пленницы, ни Риты там уже не было.

Но меня словно никто не слышит.

Мне трудно говорить, каждое слово выдавливаю через боль, а они игнорируют. Они напали на след. Им не до меня. Они заняты.

Они спорят о том, приемлемо ли применять к задержанному силовые меры, даже если сам задержанный не против таковых.

И они, кажется, ни секунды не сомневаются, что сейчас спасут девушку.

Машина останавливается.

Я вижу, как в доме уже орудуют полицейские криминалисты.

— Пошли! — командует доктор, и меня ведут к дому.

Оказавшись на пороге, я ничего не чувствую. Я ожидал, что меня захлестнут воспоминания. Я ожидал, что испугаюсь, разозлюсь, запаникую... Хоть что-нибудь. Но нет. Совершенно ничего. Пустота.

Одна группа осматривает чулан, где много ночей Аркадий пристегивал себя к стене. Они что-то собирают, расфасовывают по пакетам.

Фотографируют.

Другая группа изучает матрас. Слышу шаги на кухне, грохот в туалете. Исследуют каждый сантиметр дома.

А я смотрю в окно, наблюдаю, как ловко сержант растягивает ограждающую ленту вокруг места преступления. Как она развевается на ветру. Как она огибает почтовый ящик.

— Здесь ее нет, — докладывает полицейский доктору.

Я не вижу, но чувствую, как они смотрят мне в спину. Садист, скорее всего, кривится, а доктор разводит руками.

— Можно я его еще раз? — говорит полицейский вполголоса, и я представляю, как он стучит кулаком себе в ладонь.

— Ни в коем случае! — протестует Федор Петрович. — Исключено! Тем более у меня есть идея получше.

Доктор говорит, что у него есть идея, меня запихивают в машину и снова куда-то везут.

На этот раз мы едем молча. На мои вопросы о том, куда мы едем, что происходит, в ответ лишь тишина.

Думаю, они вернулись к первоначальному плану — провезти меня по, так сказать, местам боевой славы Риты.

Они ждут, что я вспомню еще что-нибудь, если посмотрю на другие места преступления.

И я понимаю, к чему такая суета...

Я могу представить себя на их месте. Я могу их понять. Я же единственный подозреваемый.

И если отбросить в сторону мою уверенность в том, что не я убийца... Резонно предположить, что если маньяк схвачен, девушка в любой момент может погибнуть от истощения.

Каждая минута промедления может стоить ей жизни.

Машина останавливается. Никто не говорит ни слова. С меня снимают наручники и ждут, что же я буду делать. Ждут моей реакции.

Я смотрю по сторонам.

И? Как я должен реагировать? Какое-то незнакомое место. Незнакомый дом. Напротив, булочная. Типичный спальный квартал, не примечательный ничем. Таких миллион.

— Ну что? — Полицейский не выдерживает и оборачивается ко мне.

— Что — ну что?

— Помнишь?

— Нет.

— Как нет?

— Ну нет, это когда нет, не помню...

— А ну, падла! Умный? — Он замахивается для удара, но его останавливает Федор Петрович.

— Не надо. Подождите здесь, — говорит доктор.

Он выходит из машины и идет к двери дома.

Федор Петрович нажимает на звонок.

Я внимательно слежу за происходящим, жду, что же будет, а полицейский косится на меня через зеркало заднего вида и сжимает кулаки.

Дверь открывается, Федор Петрович беседует с кем-то. Он показывает на нашу машину, размахивает руками, по-видимому, просит пройти с ним.

Мне как-то не по себе.

Чувствую, как нарастает напряжение.

Федор Петрович явно задумал что-то нехорошее. Кажется, он тоже решил избить меня, как тот садист, но только по-своему.

Избить психологически.

Я чувствую, как стены сжимаются. Чувствую страх. Нет. Чувствую ужас от неизвестности. Наверное, я сам себя накручиваю. Наверное, на то и расчет. Я никак не могу успокоиться.

Чувствую непреодолимое желание провалиться сквозь землю, раствориться, умереть, да что угодно, только не быть здесь.

Если Федор Петрович задумал таким способом на меня надавить, стоит признать, это у него здорово получается.

К нашей машине идут двое.

Один из них точно Федор Петрович. От волнения у меня мутнеет в глазах. Кто вторая фигура, не пойму. Я могу разглядеть, что рядом с доктором идет мужчина. Вроде бы мужчина. Или высокая женщина с короткой стрижкой, в рубашке и в штанах. Я моргаю, но картинка плывет, и я не могу сфокусироваться.

Доктор подает знак, и меня выводят из машины. Доктор показывает мне подойти.

— Аркадий... — говорит незнакомый мужчина. Теперь ясно, это точно мужчина. Его голос дрожит, и мне кажется, он сейчас заплачет.

Я смотрю на Федора Петровича, на незнакомого мужчину. Я ничего не понимаю, но мне больше не страшно. Я смотрю с немым вопросом, чего от меня ждут.

— Аркадий, ты узнаешь этого человека? — Доктор говорит тихо, почти шепотом.

Я не тороплюсь отвечать.

Всматриваюсь, разглядываю мужчину.

Редкие волосы на макушке. Седая борода. Как я мог принять его за женщину? Рассматриваю. Напрягаю память.

По моему молчанию доктор понимает, что я не в состоянии вспомнить старика.

— Это твой отец, — тем же полушепотом поясняет Федор Петрович и следит за моей реакцией. — Твой папа.

Нет. Нет. Что за чушь? Это не мой отец. Совершенно незнакомый. Чужой старик. Он не может быть моим родственником...

Я перебиваю свои рассуждения.

Слышу свое тяжелое глубокое дыхание. Меня сейчас стошнит. Я понимаю, что на самом-то деле не помню и не знаю, кто мои родители. Может, я детдомовский? Я ни черта не помню о себе.

— Это не мой отец. — Я мотаю головой и опускаюсь на асфальт. — Это не мой отец.

Доктор, кажется, не обращает на мой ответ внимание. Он делает вдох-выдох, двигает руками вверх-вниз, показывает, чтобы я повторял за ним. «Вдох-выдох».

— Успокаиваемся. Вот. Молодец. Еще вдох, выдох.

Федор Петрович говорит, чтобы мне дали воды.

Отводит лжеотца в сторону и рассказывает ему, почему я в таком виде. Они стоят достаточно далеко, но я слышу, как врач говорит, что я отважный спасатель, что пострадал, сражаясь за безопасность и спасая жизни людей. Говорит, что мое лицо, это балконная балка, которая оборвалась и с высоты упала на меня.

Он говорит, а я сижу посреди дороги, пью водичку прямо из бутылки и сейчас засмеюсь. Хотя доля правды в его рассказе есть. Те тумаки, что я отхватил бесплатно, вполне могут сравниться с балконной балкой.

— Это не мой отец! — повторяю громче и настойчивее.

Федор Петрович словно не слышит.

— Он не мой отец! — кричу на всю улицу и пытаюсь подняться.

Доктор показывает, чтобы меня посадили в машину, а старик кивает, поддакивает мне.

— Он прав. Он не мой сын.

— Не ваш сын?

— Аркадий погиб...

— Как погиб? — встревает полицейский.

— Утонул. Уже девять лет как. — Старик говорит и рассматривает меня. — Пошел на рыбалку. А назад его принесли друзья. Вот так. По глупости. Скорее всего, перебрал спиртного. Он у меня любитель был.

Старик смотрит на меня, говорит, прости, Аркадий, что не спас тебя в тот день, и начинает плакать.

Федор Петрович старается успокоить мужчину. А я понимающе киваю головой.

— Но как похож, — сквозь слезы говорит старик.

Смотрит на меня бородатый, и я чувствую, что он собирается меня обнять.

Федор Петрович его успокаивает, полицейский разводит руками, а я понимающе киваю.

Киваю и понимаю, что я совсем не Аркадий.

Они ждали от меня реакции? Какой?

Мне бы сейчас запаниковать. Начать рвать на себе волосы. А я кручу в голове мысль о том, что я это совсем не он. И что, как ни прискорбно, на встречу с бывшими одноклассниками Аркадия теперь меня точно не позовут. А как бы было здорово... Банкет. Нарядные незнакомые приветливые женщины. Выпивка. Много еды. Мясной еды. Сначала я бы съел стейк. Нет, лучше бургер. Нет, лучше бургер со стейком внутри...

— Аркадий! — слышу голос доктора. Он отчего-то тревожный. — Аркадий, вы с нами?

Хм. Естественно, я с ними. Где же мне еще быть?

— Аркадий! — Доктор трясет меня. — Видите, что вы наделали?! — Он ругает полицейского. — Я же предупреждал! — кричит он и продолжает меня трясти. — Вот! Вот чего вы добились! Избили? Довольны?

Странное дело, Федор Петрович трясет меня точно в такт колес поезда. Я отчетливо слышу «тук-тук» «тук-тук».

— Очнись! — Голос требует и в то же время умоляет. — Открой глаза!

И я открываю глаза.

Я сижу за столом.

В руке у меня листок с шифром. Федор Петрович стоит возле меня и держит за плечи.

Полицейский больше не задирает нос, он испуган, он смотрит на меня и наверняка молится всем богам, чтобы я пришел в себя.

А я смотрю на листок. На надпись.

Смотрю на врача. Федор Петрович ловит мой взгляд и спрашивает, все ли у меня в порядке.

— Что произофло? — Я глотаю кровь и через боль повторяю: — Что здесь произошло?

Врач возвращается на свое место.

Садится и берет ручку словно спасательный круг. Он готов продолжать, готов записывать.

— Ты собирался рассказать нам, что означает эта надпись. — Его голос все еще звучит тревожно.

Федор Петрович кивает на листок в моей руке.

— Не надо никуда ехать. Он мне не отец! — говорю я, комкаю записку и бросаю под стол.

— Кто не отец? Куда не надо ехать? Аркадий, с тобой все хорошо?

Со мной? Со мной все хорошо. Чувствую себя замечательно. Просто превосходно. Мне прекрасно как никогда. Мне легко. Я облачко. Несмотря на бинты, у меня ничего не болит.

И самое главное — я не он!

— Я не Аркадий!

* * *

Я не Аркадий. Но тогда кто?

Я не плохой... не хороший... наверное, и не такой уж замечательный, каким кажусь себе.

Сложно объективно судить.

В собственных глазах я, естественно, умный, интеллигентный, достаточно эрудированный и вполне себе воспитанный. Рассудительный, внимательный, веселый и находчивый.

Но, догадываюсь, для остальных окружающих я совсем не такой.

Я так долго скрывался под разными масками. Так долго и трудно учился не быть собой. Так долго тренировался, чтобы стать кем-то другим, кем-то лучшим, кем-то совершенно не похожим на меня...

Подражал чужому голосу, копировал чужие жесты, перенимал манеры. И в результате... Что? А кто я?

Кто этот голос внутри Аркадия, который решил, что я это точно не он? Кто этот голос, который звучит сейчас в голове? Кто он, который озвучивает слова, когда читаешь про себя?

А что, если Аркадий — это на самом деле Аркадий, а я — это всего лишь симптом его душевного отклонения?

От этих мыслей мне не по себе.

Что, если так оно и есть?

Нет. Это бред.

Я знаю, что Аркадий — маска. Я главный! Не он! Я вожак! Аркадий — никто, даже ничто... Он фальшивка. Подделка. Копия. Нет. Это точно не я. Это все Рита. Она заставила меня скопировать незнакомого человека с фотографии на украденном паспорте.

И все-таки, кто я?

Столько времени потратил, чтобы стать кем-то другим, и так и не нашел ответа на простой вопрос: «Кто же я сам?»

— Продолжай... — тихо говорит Федор Петрович.

И я продолжаю. Я и не собираюсь останавливаться.

Чтобы спародировать Чарли Чаплина, много таланта не нужно. Мало кто помнит в деталях, как выглядел знаменитый комик. Надень шляпу, возьми трость, как-нибудь изобрази походку. Готово. Этого достаточно. Это будет узнаваемо. Естественно, получится низкопробная бюджетная фальшивка, но вполне себе узнаваемо.

А как же со мной? Как научить актера быть мной? Не каким-то Аркадием, а именно мной?

Что подсказать пародисту? Какой совет дать? Что ему надеть на себя, как говорить, как ходить? Чего хотеть, бояться, ненавидеть?

Кого любить, в конце концов?!

Не знаю...

Я пустота. Всего лишь голос, что звучит из-под маски.

Я тот самый беззвучный голос, что нацепил на себя сотню лживых чужих образов. Я пустышка. Трус, прячущийся в глубине и винящий всех вокруг в своих неудачах. Я всего лишь голос. Несмолкающий. Тараторящий свои бредни даже во сне. Всего лишь голос. Внутри Аркадия. Слабый, ноющий, желающий все новых развлечений, дребезжащий, мечтающий о больших деньгах, признании и славе.

Глупый назойливый голос.

— Продолжай, — говорит Федор Петрович, медленно двигает рукой и монотонно кивает. — Продолжай...

Он может не помогать. Незачем тянуть из меня слова. Сейчас меня просто не заткнуть. Я говорю не с ним, не с ними. Я беседую с собой. С собой настоящим.

Память...

Ее нет. Ее стер кто-то. Кто-то беспардонный и наглый. Прошелся грубой наждачной бумагой и содрал слой за слоем.

Память.

Воспоминания — ключ к четвертому измерению.

Это способ. Единственная возможность выйти за рамки трехмерного лживого мира и увидеть правду.

Федор Петрович слушает. Он не перебивает. Он теперь даже не записывает. Просто продолжает кивать и внимательно смотреть на меня.

И он не притворяется. Я знаю, ему искренне интересно разобраться в моих переживаниях.

Другого способа не существует. Мы замкнуты внутри самих себя. И нам не выбраться. Без посторонней помощи не выкарабкаться.

Федор Петрович проглатывает каждое мое слово.

Он делает все как надо. Я это вижу. Я все замечаю. Профессиональный доктор ведет себя в точности, как регламентирует предписание по экстремальной психологии. Он настороже. Но я же не собираюсь покончить жизнь самоубийством. Зачем он так перестраховывается? Сижу перед ним. Я не на краю пропасти. Я не стою на шатающемся стуле с петлей на шее.

Зачем?

Психиатр старается не делать лишних движений. Его задача слушать. Нужно дать мне выговориться.

Я это понимаю.

Я прекрасно знаком со всеми его трюками. Знаком, но продолжаю говорить и говорить. Слова сами рвутся наружу.

Рассказываю о своих планах, о мечтах. Перечисляю все по пунктам. Словно зачитываю список покупок на неделю в продуктовом магазине. Все, о чем жалею и чего стесняюсь.

План врача работает. Я поддаюсь. Клюю на его уловку. Выплескиваю эмоции изо рта через звуки.

Говорю, что проклинаю себя за то, что познакомился с сумасшедшей. За то, что так долго тянул и не обращался в полицию. За свою нерешительность и трусость.

Я виноват не меньше, чем Рита. А может, даже больше.

С каждым моим словом, с каждой буквой, чувствую, что на душе становится легче. Наверное, так чувствуют себя люди на исповеди.

И я все говорю-говорю. А доктор все кивает и подбадривает — продолжай.

Находясь внутри. В самой замкнутой системе. Мы не можем видеть и понимать истинные законы этой системы. Нам не понять, как она работает и как вести себя «правильно».

Это как лабиринт. Самый сложный и запутанный. И мы внутри. В самом центре хитроумной конструкции. В западне. И только сверху. Только со стороны возможно рассмотреть всю картину в целом, выбрать правильный путь и найти выход.

— Продолжай, — говорит тихонько доктор. Он повторяет «продолжай», как будто больше не знает других слов.

И он больше не зовет меня Аркадий.

Федор Петрович старается. Применяет ко мне все свои навыки. Я понимаю, чем он занят. Врач выводит мое подсознание наружу. Он хочет, чтобы я поплакал. Он хочет взять меня за руку, как маленького ребенка, и сам шагнуть, погрузиться вместе со мной в мои самые потаенные кошмары. Хочет, чтобы мы пережили их вместе. Хочет, чтобы я избавился от них.

Я виноват!

Я хочу все исправить, но не знаю как...

Доктор изо всех сил хочет мне помочь. Он больше не успокаивает. Теперь он сильнее раскачивает мою психику. Как лодку в шторм. Вот только я не уверен, что моя лодка выдержит.

Федор Петрович просит, чтобы я сосредоточился и заглянул за горизонт. И я понимаю, о чем он.

— Загляни.

С помощью памяти можно путешествовать во времени. Это словно погрузиться в сон. Человек чувствует, что его прошлое — это как хорошо запомнившееся сновидение. Но это что-то гораздо более сложное, чем обычный сон.

Мы играем с воспоминаниями. В фантазиях меняем детали прошлого, раз за разом проживаем случившиеся события. Делаем выводы, копим опыт и формируем настоящее.

— Или наоборот? — спрашивает доктор и не ждет ответа. Он снова двигает рукой и кивает. — Продолжай...

Это слишком сложная тема, чтобы разобраться самому. Тем более с моим откровенно невысоким уровнем интеллекта. Тем более в моем нынешнем состоянии.

Доктор делает вид, что понимает, а может, уже на самом деле понимает меня и кивает, продолжай.

Я не помню прошлого. А значит, у меня нет будущего. Кто-то когда-то сказал нечто подобное. Вроде бы эта фраза про историю. Мол, если человек не помнит истории... Не суть важно.

Больше всего меня беспокоит, что я не знаю к чему стремиться. У меня нет цели. Нет смысла.

Будущее — проекция наших желаний. Его еще не существует, и одновременно оно уже случилось. У нас в голове. В наших фантазиях. Но что делать, если нет желаний? Если я не помню, чего хотел раньше? А сейчас... Что, если мои нынешние хотелки, это не мои настоящие желания? Что, если это лишь мечты одной из уродских масок?

Федор Петрович поддерживает беседу, он говорит, что счастье в спонтанности.

— В неведении, — поправляю его я.

И в этой фразе есть смысл.

Я не хочу знать, что со мной будет. Скучно же, не интересно контролировать все аспекты своего унылого существования. Именно существования, жизнью это не назовешь.

Стрелки двигаются, механизм тикает. Каждый день, на один бессмысленный день нам остается меньше времени.

— Плыть по течению. Удивляться новому. Смотреть на мир пытливыми детскими глазами. — Федор Петрович говорит невпопад.

Такими фразами он выдает себя. Ему нужно, чтобы я поверил, что он меня понимает. Но...

Если наши желания сбываются, мы удовлетворены. И нам тут же становится скучно. Если нет... Мы грустим. Мы впадаем в депрессию. Мы начинаем плакать и жалеть себя. Или продолжаем бороться.

Ищем выход.

Но выхода нет. Его не отыскать, находясь внутри лабиринта, внутри проклятой замкнутой системы. Только выйти за рамки.

Только заглянуть за горизонт.

— Всегда можно изменить прошлое. — Доктор снова бросает бессмысленную фразу.

Нарочно провоцирует.

Он профессионал. Я в этом уже убедился. Он не может делать такие ляпы случайно. Федор Петрович меня провоцирует.

И я не попадусь в расставленный капкан. Я знаком со всеми его трюками. Не пойму, зачем он так, но уверен, это не случайность.

Помнить, что случилось. Переживать радость или грусть, не важно. Это ли не счастье?

Память — бесценный капитал. Который только множится. Память — золото. И кто-то у меня его украл. Я не хочу мечтать о том, что должно произойти. Я хочу наслаждаться тем, что уже случилось.

Верните мне мое золото...

— Главная цель — убедиться на практике, что цели нет.

— Да что за бред ты несешь? — не выдерживаю и начинаю кричать на Федора Петровича. — При чем здесь это? Цель... на практике... Я просто хочу вспомнить!

— Продолжай, — шепчет доктор.

— Вспомнить! Понимаешь или нет?

— Продолжай...

— Не надо мне тут твои вонючие «продолжай-продолжай»! Что толку от болтовни с тобой? Ты же даже не слушаешь! Только вид делаешь и киваешь тут своей пустой головой.

— Не сердись. Мне просто хочется понять...

— Что понять? Что тебе может хотеться понять?

— Понять, что будет, если правда тебе не понравится? Что, если ты боишься правды? Что, если ты сам подавляешь воспоминания?

Он говорит, что я сам стер себе память. Да он полный болван. Какой из него профессионал? Подделка! Фальшивка! Никчемный лжец!

Я не хочу его слушать.

Нет.

Не буду!

Я закрываю уши ладонями и громко произношу, как мантру: «Принимая законы замкнутой системы, человек доверяется в руки судьбы». «Принимая законы замкнутой системы...»

Хотя я точно знаю, что судьбы нет. Есть только иррациональный набор случайностей. О какой судьбе можно вести речь?

На секунду отвлекся и слышу голос лжепсихиатра:

— Смирись. От тебя ничего не зависит. — Его тон становится строгим. — Даже это не зависит! — Он сбрасывает со стола пепельницу, и мои сигареты разлетаются по сторонам. — Если захочу, ты не сможешь курить. Не сможешь пить.

Фальшивка наклоняется через стол ко мне так близко, что я чувствую его неприятный запах изо рта. Он брызжет слюной. Говорит, если захочет, то я и дышать не смогу.

Лжепсихиатр неожиданно меняет настроение. Мгновенно успокаивается, откидывается на спинку стула.

Он делает паузу. Следит за мной, щурится.

Подделка притаился.

А я слышу чьи-то быстрые шаги за спиной. Это охранник торопится собрать окурки с пола. Он садится на корточки и руками, без совка и щетки, собирает мусор обратно в пепельницу.

Лжепсихиатр снова орет на меня, а я не обращаю внимания. На этот раз он понес что-то про то, что я полностью завишу от него. Что он может меня убить и ему за это ничего не будет.

Пустой треп.

Я знаком со всеми его уловками.

Фальшивка кричит, а я наблюдаю, как охранник вытирает пальцы от пепла о штаны. Прячет мою пачку сигарет в свой карман, поднимается и собирается уйти.

Ну уж нет. Черта с два! С моей пачкой? Это от меня ничего не зависит? Если он захочет, я не буду курить? Не на того напал!

— Эй! — зову охранника.

А он идет, проходит мимо и не отзывается. Я разворачиваюсь за ним, хватаю его за руку.

— А ну стой!

Дергаю за куртку, и его рука остается в моей. Буквально в моей руке. Она оторвалась от тела, и охранник теперь стоит без руки. С плеча у него безвольно свисает пустой рукав.

Я рассматриваю руку. Пластик. Протез. Возле плечевого сустава шарнир, как у куклы Барби.

Смотрю на руку, на доктора. Он смотрит на меня. Я показываю протез. А он повторяет за мной.

Я пожимаю плечами, он в точности копирует меня. Поворачиваю голову, он тоже поворачивает. Я быстрым движением скручиваю пальцами неприличный жест и направляю его в лицо лжепсихиатру. Доктор успевает за мной. Он прочитал мои намерения. Он с той же скоростью показывает мне свой кривой средний палец.

Он больше не фальшивка.

Теперь он профессиональный подражатель.

Смотрю на него, удивляюсь. Словно в зеркало смотрю.

Могу только представить, каким испуганным и растерянным я сейчас выгляжу. Как бегают по сторонам мои глаза. Как дрожат губы. Как морщится лоб. Я боюсь.

Как такое возможно?

Мне по-настоящему страшно. Я ищу, чем бы мог вооружиться. А доктор ехидно улыбается.

Кажется, он что-то знает. Кажется, он меня подловил.

Он о чем-то догадался.

* * *

— Как ты со мной разговариваешь? — говорю уверенно. Я пытаюсь дерзостью замаскировать панику. Мне совсем не хочется, чтобы фальшивка догадался, что я боюсь. — Что вылупился, урод?

Федор Петрович показывает мне заткнуться.

Он не настроен со мной разговаривать.

Он подходит, и я вижу у него в руке клейкую ленту. Вторую руку он прячет за спиной.

Я чувствую, как тело цепенеет.

Холодок пробирается от пяток до головы и застревает где-то у макушки. Кровь пульсирует в висках. Адреналин зашкаливает.

Мне знакомо это чувство.

Остолбенение. Как когда на тебя несется бешеный пес. Огромный. Он рычит, брызжет пеной из оскаленной пасти. Шерсть вздыбилась, лапы со всей звериной силой отталкивают землю. Он практически летит. А ты, вместо того чтобы убежать или дать отпор, замираешь. Стоишь, скованный страхом, и не в состоянии пошевелиться.

Наблюдаешь за неотвратимым, словно смотришь фильм в замедленной съемке, и не можешь ничего сделать.

Неужели у него за спиной... Шприц? Он разгадал рецепт Риты? Невозможно...

От одной мысли о такой пытке у меня начинает кружиться голова. Картинка плывет.

Доктор отрезает кусок ленты. В другой руке у него ножницы. Он нарочно спрятал их за спину. Он знает, что для меня значит этот жест. Он это нарочно. Он издевается.

— Ты помнишь? — Федор Петрович наклоняется ко мне и говорит еле слышно прямо в ухо.

Я слышу, как он сопит. Его дыхание касается моих волос.

Он спрашивает, помню ли я, и не ждет ответа. Фальшивка клеит ленту мне на рот. Я не могу пошевелиться, боюсь и даже не пытаюсь сопротивляться.

— Что замер? — Федор Петрович говорит знакомым голосом, до боли знакомые фразы. — Что? Тебе нравится моя игра?

Федор Петрович разглаживает скотч у меня на лице. Он заботливо убирает челку у меня со лба.

— И не мычи мне тут. Если согласен со мной, кивни. Это будет значить «да». Если не согласен, просто сиди молча.

Он аккуратно выкладывает передо мной ножницы, моток скотча. Он это нарочно. Он дает мне объект, куда я могу спрятать взгляд.

Я рассматриваю рукоятку ножниц с отколотым ушком. Вероятно, ими неудобно сейчас пользоваться. Если отрезать что-то плотное, будет больно пальцам.

— Помнишь? — доносится его голос за спиной. Я оборачиваюсь.

Врач стоит возле одного из зрителей. Он дотрагивается до плеча девушки, и она встает.

— Виновен! — Она говорит и показывает на меня пальцем.

Лжепсихолог идет в другой конец зала. Встает возле другого человека. Смотрит на меня и спрашивает, помню ли я его. Затем он дотрагивается до плеча мужчины, и тот встает.

— Виновен! — Мужчина показывает на меня пальцем.

Фальшивка издевается. Он подходит к каждому присутствующему. По очереди поднимает их одного за другим.

— Помнишь?

— Виновен! — говорит детский голос.

— Помнишь?

— Виновен! — говорит незнакомый мужчина.

Фальшивка поднимает каждого из присяжных. Они в один голос твердят — виновен и показывают на меня пальцем.

Все стоят. Я верчу головой по сторонам. Все считают меня виновным. Каждый стоит и с ненавистью смотрит на меня.

Сколько же их?

— Виновен-виновен! — скандируют они хором.

Федор Петрович возвращается ко мне. Он садится на край стола. Закидывает ногу за ногу. Щелкает пальцами, и присутствующие замолкают. Они стоят, их пальцы все еще наставлены на меня.

Но они не двигаются и больше не повторяют, что я виновен.

— Ты не ответил. Ты любишь играть? — обращается ко мне Федор Петрович и показывает на дверь.

Слезы текут по моим щекам, и я ничего не могу с этим поделать. Я так часто дышу, что лента не выдерживает и ее край отклеивается. Каждый выдох сопровождается дребезжанием намокшего скотча. Я рассматриваю ножницы. Как же больно будет разрезать ими картон.

— Давай поиграем?

А если с помощью таких резать плотную резину, чтобы, например, отремонтировать обувь? Нет-нет. Даже если они остро заточены, будет невыносимо больно.

Федор Петрович поправляет отклеившийся край скотча. Он вытирает мне слезы. Говорит, что хочет мне помочь. И со всего размаха бьет меня по лицу тыльной стороной ладони. Звук такой, словно кто-то с крыши высотного здания запустил насквозь промокшую майку, и она приземлилась точно на гладкую бетонную плиту.

— Не мычи мне тут! — кричит Федор Петрович. — Не мычи!

Он отталкивает мой стул ногой, и я валюсь на пол. Он говорит, если я не хочу с ним играть, то я ему больше не нужен.

Он говорит, что теперь можно. И я вижу, как чьи-то ноги в кроссовках спешат ко мне. Мне кажется, что сейчас разноцветная, стильно зашнурованная обувь встретится с моей головой, как с футбольным мячом. Я закрываю глаза. Жду. Готовлюсь.

* * *

Слышу чье-то сопение возле моего лица. Кто-то рычит, чихает, говорит что-то невнятное, словно набрал полный рот орехов.

Фальшивка говорит, ему нужно, чтобы я открыл глаза. И мне еще меньше хочется их открывать.

Я сильнее зажмуриваюсь и выдавливаю слезы. Жмурюсь с такой силой, что они, наверное, летят во все стороны, словно струя, выпущенная из водяного пистолета.

— Открой глазки, — говорит Федор Петрович. — Открой по-хорошему.

Я слышу, как врач приближается.

Он шагает медленно, тяжелыми шагами. Он дает мне время подумать. Дает возможность самому все исправить.

Я слышу ножницы в его руках. «Чик-чик».

— Открой глаза!

И я пытаюсь их открыть.

Но тело сопротивляется. Сквозь узкую щелочку, залитую слезами, сквозь приоткрытые ресницы я вижу перед собой изуродованное лицо парня. Он совсем молодой. Наверное, только-только школу закончил. Он склонился надо мной.

Я открываю глаза и вижу, что у паренька зашит рот. Я хочу кричать. Я помню его. Он приходил проверяющим, когда Аркадий работал ростовой куклой и раздавал флаеры. Я пытаюсь высвободиться. Парень говорит мне что-то через нос, и я вижу, что у него нет одного уха.

— Поздно... — шепчет мне Федор Петрович. — Надо было быстрее соображать и сразу выполнять то, о чем тебя просят.

Я слышу в его руке ножницы. «Чик-чик».

Доктор ловит пальцами мою ресницу. Оттягивает вверх веко.

Мне больно. Я пытаюсь вырваться.

— Не мычи мне тут! — злится доктор.

Он никак не может надежно схватиться за мое веко. Он выдергивает мне ресницу за ресницей и говорит, чтоб я не мычал.

Он говорит, что мне пора бы уже смириться.

И я слышу «чик-чик».

Я издаю нечеловеческий рев. Я рычу и дергаюсь изо всех сил.

Старое кресло не выдерживает, разлетается на куски.

Я ногами отталкиваю Федора Петровича. Он отлетает в сторону и падает. Вместе со своими ножницами, вместе с частью моего глаза.

Подлокотником, привязанным к руке, бью не глядя, врезаюсь в изуродованное лицо парня. Его голова, как пробка, отскакивает в сторону и катится по полу с пластиковым стуком. Его тело остается в той же позе, склонившись надо мной. Его пластиковая шея с шарниром, как у куклы Барби, выступает над воротником.

Я отклеиваю ленту со рта.

Я кричу! Кричу от боли. От обиды. От ярости.

Я смотрю по сторонам.

Манекены присяжных стоят неподвижно. Их пальцы направлены в мою сторону. На лицах застыло «виновен». Я их помню. Я знаю каждого. Вон стоят близняшки-художницы. Рядом стоят и тычут в меня пальцами грабители, что напали на Аркадия в сквере.

Я смотрю в их лица. Мой левый глаз все еще слезится. Правый истекает кровью.

— Виновен! — кричу я. — Знаю, что виновен!

Кричу и выбегаю из комнаты. Распахиваю дверь, спотыкаюсь обо что-то. Я падаю. Кубарем откатываюсь к стене.

Рядом на цепи сидит девушка. Она дрожит. Она меня боится. Ее волосы растрепаны, на руках запекшаяся кровь.

Ее лицо в подтеках, но, кажется, я ее знаю.

— Рита?

Девушка издает испуганный писк и забивается в угол. Цепь побрякивает, девушка закрывает руками рот, я слышу, как она сдавленно плачет.

Она боится издавать лишние звуки. Она тихонько всхлипывает и мотает головой — нет, не надо, пожалуйста.

— Рита, это же я. Я тебе помогу, — говорю и тянусь, чтобы развязать ее.

Она прячет голову, и я вижу следы порезов на ее локтях. Фальшивка срезал кожу у нее на руках, чтобы она не опиралась на локти и спала на животе. Раны необработанные, они загноились.

— Рита... — шепчу и понимаю, что здесь произошло.

Мне стыдно находиться рядом. Мне очень жаль девушку. Мне больно смотреть на ее страдания.

Виновен!

Это я схватил ее. Она моя пленница. Я скопировал ее. Скопировал внешность, и от ее имени, от имени ее нежного образа измывался над беспомощными жертвами.

— Отнимал их лица... — говорю и отступаю.

Упираюсь спиной во что-то твердое. Падаю. Цепляю ногой банку, та с лязгом переворачивается, и запах ирисок разлетается по комнате.

Помню. Теперь все помню...

Как смешивал формалин с ароматизаторами. Как вымачивал в растворе срезанные лица. Это все сделал...

— Я же говорил, что тебе может не понравиться правда, — говорит Федор Петрович.

Он стоит в дверях, вооружившись ножницами. Он смотрит на меня, валяющегося на полу. Спрашивает, доволен ли я теперь, и разводит руками. Он меняет лицо. Ловко, за секунду. И теперь передо мной, с ножницами в руках, стоит Рита.

— Рад, что все вспомнил? — Он смеется женским голосом. — Наслаждайся. Ты же этого хотел?

Фальшивка набрасывается на меня.

Он бьет ножницами мне в живот.

Он душит меня.

А я думаю, что если не просовывать в сломанное ушко палец, если использовать ножницы как штык, то вполне себе удобный инструмент получается.

Он избивает меня.

Острое лезвие врезается мне в ребра, в пах. Фальшивка атакует без разбору.

А я с удивлением отмечаю, что мне совсем не больно. И мне совершенно не жаль свое тело. Оно заслужило то, что с ним сейчас происходит.

Ножницы врезаются в плоть, рвут кожу, таранят мышцы.

Мне все равно.

Куда больнее узнать, что я во всем виноват. Это я убил всех тех людей. Я до полусмерти замучил Риту.

Федор Петрович бьет, бьет. Скачет по мне ногами.

А я не сопротивляюсь. Я наслаждаюсь запахом ирисок, закрываю глаза и готов умереть.

— Нравится? Нравится моя игра? — говорит доктор голосом Риты. — Отвечай! Нравится?

Он устал меня бить. Он задыхается, словно пробежал марафон. А я чувствую, как мои губы сами растягиваются в улыбке.

Мне не страшно. Мне смешно наблюдать за ним.

Фальшивка поднимает тяжелую катушку с цепью. Поднимает ее высоко над головой, замахивается. Он спрашивает, нравится ли мне его игра, и с силой роняет катушку мне на голову.

Я слышу, как он кричит, что теперь он главный. Слышу, как он радуется, как он ликует. Он наконец добился чего хотел.

Его голос становится тише...

Он говорит, что теперь мне конец. Что он победил.

Его голос отдаляется...

Он говорит, что теперь он сможет забрать свой последний трофей.

Его голос растворяется в тишине...

Я перестаю дышать.

Пусть так. Пускай я стану его последним трофеем. Последним. Он сказал, последний трофей. Значит, может быть, он больше никому не навредит. А я? Я виноват. И я заслужил.

Но как, черт возьми, не хочется умирать.

Даже ради Риты, даже ради всех людей на земле. Даже если на самом деле достоин смерти... Всегда хочется найти альтернативный вариант. Найти способ.

Договориться...

Странно, если честно, разговаривать с собой, и при этом получать от процесса настоящее удовольствие. Тем более странно пытаться договориться с самим собой, придумывая и подбирая подходящие аргументы.

Нужно открыть глаза.

Я сейчас, наверное, потерял много крови.

Этот гад всего меня изрезал. Смешно подумать, у меня на лице, считай, стокилограммовая металлическая катушка, а я переживаю о порезах ножницами.

* * *

Что может быть хуже смерти?

Не самый приятный вариант, если ты неизлечимо болен. Если болезнь вызывает боль. Если ты, например, не можешь двигаться и жить полноценной жизнью...

Нет.

Все равно уверен, хуже смерти ничего нет в этом мире.

Странное дело, лежу в крови, вероятно, при смерти, а мне совершенно не больно. Федор Петрович хорошенько меня обработал, славно размял, а я чувствую себя вполне так нормально.

Нужно открыть глаза.

Хах.

Здорово, наверное, открыть глаза, которые валяются в луже собственной крови, недалеко от размозженной всмятку головы. Открыть и посмотреть на себя со стороны, так сказать.

А если это очередной обман? Что, если я еще могу спасти Риту, но вместо этого разлегся на полу и жалею себя.

Нужно подниматься. Нужно открыть глаза.

Теперь, когда я определился, кто «я». Нужно вставать.

Я тот голос, который спасет Риту. Голос, который все это время мешал ее убить. Каждый раз спасал ее. И сейчас фальшивка не расправится с девушкой.

Я не позволю!

Я не спас тех людей, но Риту этот гад не тронет...

Я открываю глаза.

Я сижу перед зеркалом. В отражении вижу Федора Петровича. Кажется, он не чувствует моего присутствия. Он насвистывает веселую мелодию и укладывает волосы.

Он напялил свою самую нарядную одежду. Рубашка в полоску, брюки. Он готовится к своему главному шедевру.

Он ковыряет ногтем в зубах. А за его спиной отражается Рита. Она лежит без одежды. Она распята на столе. Возле нее разложены инструменты. Пол застелен клеенкой. Рядом приготовлены пакеты для мусора.

Фальшивка улыбается себе.

Он закуривает и подвигает ближе пепельницу-слоненка. Она липкая. В чьей-то свежей крови. Он вытирает салфеткой пальцы. Это часть его игры, часть ритуала. Подделка использует пепельницу как чернильницу. Внутри слоника налита чья-то кровь.

Окурки плавают в густой жидкости. Пепел смешивается с алыми чернилами. Окурки действуют как загуститель.

Фальшивка достает кисть.

Он окунает ворс в чернильницу и пишет на зеркале. Пишет поверх списка упражнений для мышц лица. Поверх моих напоминалок с латинскими названиями костей черепа. Тонкие струйки от букв стекают по гладкой поверхности.

Фальшивка чертит символы, значение которых он теперь знает. Я сам того не желая ему их расшифровал. Он знает, для чего я сделал эту надпись, но все равно ее пишет.

Выводит грязной краской послание и улыбается своему отражению с зажатой во рту сигаретой.

Это часть его игры. Часть отвратительного ритуала.

Вокруг рассажены манекены. Они сидят и натянутыми лицами следят за происходящим. Они ждут начала представления. Ждут кровавого действия. Их безглазые головы направлены на обнаженную пленницу, на распятую на столе Риту.

Фальшивка заканчивает с надписью.

Он тушит сигарету и отодвигает слоненка. Делает глоток воды. Одним махом проглатывает полстакана и тут же доливает воду до краев. Ему это важно. Он любит, чтобы стакан оставался полным.

Надевает халат. Поправляет воротник. Теперь он готов выйти на сцену. Готов предстать перед любимым благодарным зрителем.

— Ну привет.

Глаза фальшивки впиваются в мои глаза в отражении.

— Тебе нравится моя игра?

Он меня учуял. Он улыбается, пританцовывает, но мое отражение в зеркале остается серьезным.

— Нравится. Признайся.

Фальшивка веселый. У него хорошее настроение. Но это лишь маска. Я без труда могу определить, когда человек врет. Его веселость лишь пыль в глаза. Он хочет усыпить мою бдительность.

Нет. Риту он не получит!

Мне предстоит бой. Последний. Не на жизнь. Смертельный...

* * *

— Ты вернулся. Ты всегда возвращаешься. — Голос Федора Петровича звучит радостно.

Похоже, он ждал, когда же я наконец объявлюсь. Он знал, что не может меня убить.

Фальшивка улыбается. Он садится напротив зеркала. В правой руке у него стакан, другую он прячет за спиной. На этот раз он не издевается. Я чувствую, он на самом деле что-то прячет от меня.

В комнате невыносимо пахнет ирисками. Сладкий навязчивый запах перебивает все остальные.

— Будем! — говорит он отражению и тянется стаканом чокнуться со мной, словно выпивает с приятелем.

Я возвращаю стакан на стол.

— Не хочешь? Ладно.

Его отражение улыбается.

В белом халате его фальшивый образ выглядит еще более зловеще. Он пристально смотрит в глаза отражению, в мои глаза. Он ждет, что я скажу. Ждет, что же я буду делать.

— Отпусти ее, — говорю твердо и кошусь на распятую Риту.

Я хочу получше ее рассмотреть, дышит ли она. Но глаза непослушно тянутся к зеркалу и упираются в свое отражение. Холодный взгляд, острый, безжалостный. Но я не боюсь.

— Отпусти, говорю!

— Ты же сам знаешь, мы с тобой не можем этого сделать. — Голос становится ниже. — Рита... она само совершенство. Она прекрасна. Она делает меня... Делает нас лучше.

Его правая рука активно жестикулирует в такт словам; я распрямляю на ней пальцы и опускаю ладонь на стол.

— К тому же Рита нужна мне так же сильно, как тебе. Я ее люблю так же сильно, как...

— Тогда отпусти.

Рука сжимается в кулак. От усилия пальцы белеют. На этот раз это реакция на мое напряжение.

— Отпустить? Нет-нет. Это глупо!

Обычно после такой фразы фальшивка должен засмеяться. Он должен смехом показать, насколько я глуп, насколько не разбираюсь в ситуации. Он должен унизить меня.

Но сейчас он даже не улыбается.

Он говорит, что будет настоящим грехом отпустить ее. Это преступление, позволить такой красоте исчезнуть.

— Нельзя позволить ей постареть!

Он говорит, что нет, он ни в коем случае не может допустить такого, и не допустит.

Сейчас он знает, как навсегда уберечь совершенство Риты.

Он научился сохранять образы. И теперь это его долг. Миссия.

Он говорит, что много экспериментировал и теперь точно уверен, осечки не произойдет, красота навсегда останется нетронутой временем.

Он говорит, что нашел правильный способ, что теперь наверняка все пройдет как надо.

— Я не могу этого допустить! — Говорим с ним в один голос, но каждый вкладывает в фразу свой смысл.

Чувствую боль в руке. Кулак все еще сжат. Пальцы посинели. Запах ирисок становится невыносимым. Я с трудом ослабляю хватку и возвращаю ладонь на стол.

— Ты же сам хочешь, чтобы она всегда была рядом. Ты же знаешь, что, если сейчас ее отпустишь, больше никогда ее не увидишь.

Голова сама поворачивается, и глаза смотрят на Риту.

Она дышит. Она еще жива.

— Отпусти ее по-хорошему...

Фальшивка не отвечает.

Я чувствую, он что-то задумал. Я хочу посмотреть в зеркало на Федора Петровича, но глаза не подчиняются. Он что-то делает. Но я не могу посмотреть в отражение. Я чувствую, как двигается плечо. Он что-то достает из-за спины.

— Что происходит? — говорю и продолжаю смотреть на Риту и на рассаженных по комнате манекенов.

Я чувствую резкую боль в руке. Что-то острое впивается мне в кисть.

Я смотрю в отражение. Один глаз продолжает смотреть на стол с пленницей, другой уставился в отражение.

Левая рука воткнула шприц в правую и вот-вот введет инъекцию. Я успеваю вырвать и сбросить шприц на пол.

— Какой шустрый. — Он опять не смеется.

Обычно он все сводит в шутку, издевается надо мной, подначивает. Но сейчас он сосредоточен.

Я смотрю в зеркало.

В отражении на меня смотрит монстр. Пол-лица его выглядит как Федор Петрович, другая половина — Аркадий. Правый глаз смотрит в зеркало, левый суетливо бегает по сторонам.

Фальшивка лезет в карман. Я знаю, что там. Сейчас он достанет новый шприц, сейчас он воткнет иголку и впрыснет в меня ядовитый коктейль.

Моя рука нащупывает скальпель.

— Ого. Да ты убить меня собрался? — наконец он смеется. — А ты не думал, что вместе со мной и сам сдохнешь?

Что ж. Я убью себя. Воткну лезвие в горло. Если хватит сил, несколько раз воткну.

— Следует бить точно, — советует фальшивка. — Сюда. Чуть ниже подбородка. Постарайся спуститься вниз на некотором расстоянии от срединной линии шеи. — Он приподнимает подбородок, показывает, куда мне нужно прицелиться.

Он без слов знает, о чем я думаю. Он следит, как я достаю из кармана халата руку. Я готов действовать. А он готов отреагировать.

Остается вопрос, кто из нас проворнее? Кто первым воспользуется своим оружием?

Невольно всплывают персонажи из вестернов. Два суровых ковбоя стоят друг напротив друга. Сверлят врага стальным взглядом. Рука играет пальцами на кобуре. Звучит напряженная музыка. Сейчас решится, кому жить, а кому лежать поверженным в пыли.

Вот только в нашей схватке на чаше весов не одна жизнь. От моей реакции зависит, спасется ли Рита.

Что ж. Я справлюсь.

Я остановлю это безумие.

Делаю долгий вдох. Пусть фальшивка решит, что я колеблюсь. Спокойно смотрю в отражение.

Фальшивка ждет.

Протяжно выдыхаю и, не дожидаясь, когда легкие окончательно опустеют, наношу решающий удар.

Встаю, чтобы отвлечь, и быстрым движением бью себя в шею острым скальпелем.

— Нет-нет, — говорит фальшивка моим голосом. — Остынь. Не так быстро, ковбой.

Его рука останавливает мою в сантиметре от яремной вены. Он стоит боком к зеркалу, и я вижу, как отражение Федора Петровича борется само с собой.

Он рад, что опередил меня. Ликует.

Но кое-что он не учел.

Фальшивка дергает, хочет отобрать скальпель. Но не тут то было. Силы не равны.

Он встает, упирается ногами и тянет мою руку в сторону. Но я знаю, что ничего у него не выйдет.

У фальшивки под контролем все тело, в моем же распоряжении лишь пол-лица Аркадия и его рука. Одна рука, зато какая. Непросто доктору-заучке пересилить Аркадия. Годы, проведенные на стройке за перетаскиванием кирпичей, дают о себе знать.

Моя рука словно ковш экскаватора поднимает в воздух лжеврача.

Федор Петрович бьет ногами, извивается, болтается, как начинающий атлет на перекладине. Он не хочет умирать. Он также знает, что без его инъекции с Аркадием бороться бессмысленно. Пусть интеллектом тот не блещет, зато силой природа не обделила.

— Перестань! Давай поговорим. — Голос фальшивки дрожит, его тембр становится женским.

Он знает слабое место Аркадия. И давит на эту слабость.

Знает, что женщину Аркадий не обидит ни при каких обстоятельствах.

— Перестань. Мне страшно! — Говорит фальшивка женским голосом, и Аркадий ослабляет хватку.

Аркадий колеблется всего мгновение, пока его тугой мозг понимает, что это не женщина. Всего мгновение, но этого оказывается достаточно. Федор Петрович выбивает скальпель из руки.

Я хочу наклониться и поднять, но тело не слушается.

— Поздно! — кричит Федор Петрович. — Ты слабак! Слабохарактерное никчемное пустое место, вечно мешающееся под ногами!

Фальшивка достает шприц, и я чувствую резкий укол.

Вижу, как в отражении из плеча Аркадия торчит шприц, как пальцы фальшивки продвигают поршень, как кривится от боли мое лицо и превращается в Федора Петровича.

Рука Аркадия с размаха бьет доктора в живот. Фальшивка издает звук, похожий на кашель, и сгибается пополам. Это большее, на что я сейчас способен.

Удар. Еще удар и еще. С каждым взмахом я чувствую, как теряю контроль над рукой, как тает в ней сила. Удар. Еще. Последний выпад походит больше на легкий шлепок или на интенсивное массирование с маслами, чем на полноценную атаку.

* * *

Федор Петрович выпрямляется. И я вижу его уродливое улыбающееся отражение.

Все кончено. Я проиграл.

Сейчас бы глоток воздуха. Свежего.

— Что? Не любишь ириски? — смеется фальшивка.

Он водит носом, принюхивается.

Наслаждается сладким запахом. Он не торопится. Он знает, что сейчас никто ему не помешает.

Он насвистывает веселую мелодию и поправляет прическу.

Я проиграл.

Я — это голос, запертый в теле маньяка. Голос, который хочет остановить сумасшедшего зверя. Я голос совести. Всего лишь бесполезная озвучка его сомнений и здравомыслия.

Я беспомощен.

Фальшивка встает у стола. Он гладит Риту. Проводит кончиками пальцев по ее испуганному лицу.

— Так будет лучше. Не бойся. Ты навсегда останешься красивой.

Он бросает короткий взгляд на манекены. Ищет их поддержки.

Пластиковые тела с нетерпением ждут пополнения своих рядов. Совсем скоро истинная красавица займет место в их стройных рядах. Возможно, возглавит или, того и гляди, обесценит их пластиковое сообщество.

— Не ревнуйте. Я вас всех люблю, — говорит фальшивка и заливается истерическим смехом.

Он проходит вдоль пластиковых зрителей. Кому-то подмигивает, другому жмет руку. Федор Петрович подсаживается к своим первым творениям и по-отцовски обнимает их за плечи. Он словно извиняется за то, что их маски не совсем удачные. Извиняется, что их кожа синяя, с подтеками и дурно пахнет. Он говорит, что все равно всех их любит, и обещает, что им никогда не будет одиноко.

Фальшивка берет один из манекенов, несет его на импровизированную сцену. Ставит возле себя недалеко от стола.

— Дружище, стой здесь. Будешь мне помогать, — на полном серьезе обращается к манекену и возвращается к Рите.

Он говорит, чтобы девушка перестала мычать. Говорит, что терпеть не может такое поведение. И просит ассистента включить ярче свет. Манекен не двигается.

Федор Петрович разочарованно говорит, что все в этом доме приходится делать самому, подходит к выключателю и щелкает рубильником. Мощный прожектор светит на стол, почти как в операционной. Девушка щурится от яркого света.

— Не мычи! Сколько можно повторять? Последний раз предупреждаю. Потом пеняй на себя.

Он отклеивает скотч. Рита плачет, умоляет ее отпустить.

Фальшивке нравится ее голос. Ему приятно слышать, как она обращается к нему. А я никак не могу помочь бедной девушке.

Я бессилен.

И я не могу больше слышать ее стоны, не могу больше слышать издевательские фразы Федора Петровича.

Я заставляю себя оглохнуть.

Просто приказываю себе не слышать.

И мои уши перестают ловить звуки.

Все крики растворяются. Они пропадают где-то вдалеке. Словно кто-то нажал на кнопку управления громкостью на пульте от телевизора и снизил звучание до самой последней отметки на шкале.

Я вижу, как открывается рот фальшивки, вижу, как двигает губами Рита. Но в ушах только звон. Легкий нескончаемый писк.

Фальшивка гладит девушку.

Он исследует пальцами каждый сантиметр ее юного тела. Забирается в самые потаенные уголки. А я удивляюсь, насколько нежная и гладкая у Риты кожа. Мне противно от самого себя, но мне нравится касаться Риты.

Он что-то говорит.

Он размахивает руками и обращается к зрителям.

Он расхаживает вокруг стола, словно конферансье в цирке, который объявляет смертельный номер. Объявляет гвоздь программы, ради которого все здесь собрались и потратились на дорогостоящие билеты. Я не слышу слов, но я чувствую, с каким волнением и гордостью он их произносит.

Фальшивка берет скальпель. Он ничем не обрабатывает лезвие, просто поднимает с пола и подносит к девушке.

Я не слышу, но могу прочитать по губам, как Рита молит о пощаде. Ее губы умоляют отпустить. Они складывают форму букв, понятную на любом языке. Она кричит «нет». А я никак не могу помочь ей.

Я бессилен.

И я не могу больше на это смотреть. Не могу больше видеть ее страдания, видеть в зеркале уродливое вспотевшее разгоряченное лицо Федора Петровича.

Я заставляю себя ослепнуть.

Просто приказываю себе не видеть.

И мои глаза перестают ловить изображение.

Словно кто-то выдернул шнур телевизора из розетки. И экран погас. Сплошное черное пятно.

Я чувствую движения рук фальшивки. Он двигает острым лезвием. Я чувствую его возбуждение.

Мое воображение рисует жуткие картины.

Рита лежит на столе, Федор Петрович направляет ручейки крови стекать в контейнер. Кровь при таком освещении больше не красная. Она бесцветная. Серая. Рита трясется от нестерпимой боли...

Представлять куда ужаснее, чем видеть. Я начинаю жалеть, что приказал себе ослепнуть.

Я чувствую, как колотится сердце фальшивки. Как растет напряжение у него в штанах. Чувствую, как острое лезвие в руке врезается во что-то мягкое, проваливается, не встречая сопротивления.

Я чувствую, как мои пальцы покрываются чем-то липким и теплым. Чувствую, как шатается стол. Как извивается от боли тело Риты А я не могу ей ничем помочь.

Я бессилен.

И я не могу больше это чувствовать. Не могу ощущать, как вместе с кровью вытекает из Риты жизнь. Как торжествует и радуется Федор Петрович в предвкушении бурного оргазма.

Я заставляю себе умереть.

Просто приказываю себе не жить.

И мое сознание отключается.

Бессовестный. Это значит наглый, криводушный и бесстыжий. Я голос внутри зверя. Всего лишь тихий голос. И я его совесть. Которая поступает бессовестно. Которая сбегает. Смиряется. Отказывается бороться. Теперь его совесть мертва.

Теперь зверь, не отдающий сам себе отчета в своих делах, хитрый и кровожадный, больше ничем не скован. Зверь, которому нет места даже в животном мире, сейчас будет разгуливать среди людей.

Он не испытывает стыда или сожаления.

Он не знает таких слов, как жалость или сострадание. Он смеется, когда слышит слова «греховность» или «жестокое воздаяние». Он не боится наказания и не ждет расплаты.

Больше у него нет голоса внутри, который сдержит. Который подскажет хищнику, что хорошо, а что плохо.

Голос умер.

Я не уверен, если честно, умер ли я в том смысле, с которым принято говорить о смерти. Вернее, я точно знаю, что больше не существую. Меня нет. Но можно ли назвать это смертью?

Мне не больно от раскаленных углей под кипящим котелком. Меня не приправляют хвостатые демоны-повара свежим базиликом, тимьяном и перцем чили. И я не парю в облаках с ослепительно-белоснежными крыльями за плечами.

Я все еще в теле фальшивки.

Я дышу с каждым вдохом Федора Петровича. Знаю, когда поступают в его организм питательные вещества. Знаю, когда его тело выспалось, когда оно бодрое и полное сил.

Но я ничего не чувствую. Лично я абсолютно ничего не чувствую. Я не вижу, не слышу...

Я словно заперт внутри черной пустой наглухо заколоченной коробки наедине со своими печальными мыслями о собственном несовершенстве.

И я больше не имею права голоса.

Я кричу, колочу руками пустоту перед собой. Но я бессилен. Бесполезен. И я не могу больше сопротивляться. Не могу больше надеяться и не надеюсь на спасение.

Я заставляю себя смириться.

Просто приказываю себе не противиться.

И теперь я точно знаю, что есть что-то похуже, чем смерть.

* * *

— Смелее. Просто начни говорить. Рассказывай все, что помнишь.

— Можно уточнить? Вы меня подозреваете?

Психиатр улыбается. Пристально смотрит и ждет.

Остальные смотрят, словно уже и слушать нечего, словно вина не доказана, клиент оправдан. Словно перед ними сидит не какой-то там убийца, а человек чуть ли не с кристально чистой репутацией; человек, без пяти минут ангел небесный.

— Никто вас не подозревает.

— Тогда зачем на мне наручники?

Психиатр делает жест, и охранник снимает браслеты.

— Вскрылись некоторые обстоятельства, — поясняет доктор, — которые пролили свет на совершенные преступления.

— Что это значит?

— Это значит, что мы нашли настоящего убийцу. Значит, вы свободны. Это также значит, что я обязан принести вам свои искренние извинения. — Доктор протягивает руку. — И я надеюсь — вы их примете.

— Мы тоже хотим извиниться, — говорят хором близняшки-художницы.

— Вы невиновны, — встает и поддакивает парень с одним ухом.

— Невиновны, — говорит девушка с татуировкой плюща на ноге. Когда-то эта девушка была Ритой, сейчас у нее другое имя. Сейчас все ее называют мисс Совершенство.

Федор Петрович встает и раскланивается. Благодарит собравшихся за понимание и участие.

— Мне бы поскорее отсюда... Эм... Уйти. Это будет лучшим извинением с вашей стороны.

Врач хлопает и потирает ладоши. Он улыбается широкой добродушной улыбкой.

— Что ж. Не смею дольше вас задерживать. Вы свободны.

Федор Петрович встает, подмигивает своему отражению, снимает халат и отходит от зеркала.

У него сегодня заспанный вид. Этой ночью ему было не до сна. Он участвовал в серьезном заседании суда в качестве обвиняемого. На котором, надо сказать, не без труда удалось оправдаться.

Его обвиняли бог весть в чем.

И лишь его удача и, как он сам считает, его непревзойденная личная харизма позволили выйти из щекотливого положения победителем.

Федор Петрович потягивается.

Навести порядок, первое, что приходит в голову свободному человеку. И Федор Петрович затевает уборку в доме.

Он переворачивает стулья, складывает скатерти и достает пылесос. Ставит стирку, попутно моет посуду и готовит ведро с тряпкой.

Физический труд отвлекает от дурных мыслей.

Хотя никакого негатива фальшивка сейчас не испытывает. Он проветривает помещение. Сворачивает полиэтилен и складывает окровавленные вещи в мусорные пакеты.

Федор Петрович не будет вывозить и прятать мешки. В этом нет нужды. Он оставит их стоять в прихожей.

Коллекция полностью собрана, и больше его ничего не держит в этом доме.

Фальшивка старается, протирает подоконники. Раскладывает инструменты на стеллаже. Проверяет, выключен ли в комнатах свет. Перекрывает газовый вентиль, отключает воду.

Он говорил хозяйке, что оставит дом в таком же состоянии, в котором он его получил в пользование. Он дал свое слово женщине, когда та заселяла интеллигентного и состоятельного постояльца. И он обязательно сдержит данное им обещание.

— Все выполнил, как договаривались? — Федор Петрович бережно задергивает и выравнивает занавеску. Выдергивает вилку из розетки и оставляет пульт от телевизора на тумбочке возле торшера, рядом со стопкой журналов. — Что скажете, сдержал слово?

— Да. Все, как договаривались, — отвечает женщина.

— Ну, тогда прощайте. Еще раз, большое вам спасибо за гостеприимство. Мне пора двигаться дальше. На днях я отсюда съеду. И, да... Не могу не заметить, вы сегодня очень привлекательно выглядите.

Женщина улыбается вежливому и внимательному постояльцу.

Фальшивка продолжает сыпать комплиментами в адрес женщины и разбирает на части манекен хозяйки дома. Он говорит, что дама даже как-то моложе сегодня выглядит, чем обычно, и складывает ее пластиковые части к остальным.

Миссия выполнена.

Коллекция масок собрана. Манекены сложены в шкафу, а их головы надежно запрятаны под замком на полке.

Федор Петрович садится у стены, на еще немного влажный пол. В руке у него липкий слоненок и сигарета. Он закуривает.

Совесть молчит.

Иногда каждому приходится оправдывать себя в собственных глазах за проступки. За проезд без билета, за переход улицы в неположенном месте, за грубую фразочку, брошенную криворукой продавщице, которая долго возится с запаковкой товара. Каждый раз находится убедительное объяснение тому или иному нелицеприятному поступку.

Если удается подобрать весомый аргумент, совесть засыпает и больше не беспокоит.

Как ни странно, убийство тоже можно оправдать. Самозащита, например, если оборонялся от преступника. Или на войне во время боевых действий. По приказу, если ты работаешь палачом. Вариантов достаточно. От банального «по неосторожности» до моего варианта — «ради высокого». Из-за красоты, ради искусства. Это достойное оправдание, если ты настоящий профессионал, если ты собираешь истинную коллекцию.

Федор Петрович двумя пальцами открывает крышечку пепельницы, чтобы не испачкаться в крови, и стряхивает пепел.

Его захлестывают чувства. Удовлетворение и спокойствие вперемешку с беспокойством и растерянностью. Он тушит сигарету, оставляет слоненка на полу и идет к полке с масками.

Достает голову с лицом мисс Совершенство и ставит ее на стол.

— Дорогая. Можешь дать совет?

— Да, мой хороший. — Кожа на ее маске здорового телесного цвета. Нет никакой желтизны или оттенков зеленого. — Что тебя беспокоит?

— Я очень хотел собрать коллекцию. Понимаешь?

— Да, мой хороший. Я тебя понимаю.

— Но сейчас... Я получил то, о чем мечтал. И теперь вот не знаю...

— Ты такой забавный. — Мисс Совершенство начинает смеяться. — Мой мальчик растерялся и не знает, что делать дальше?

Фальшивка смотрит на лицо девушки, в ее пустые черные пластиковые глазницы. Смотрит с надеждой. Рука сама гладит ее парик, а Федор Петрович ждет совет, который девушка наверняка даст, когда закончит смеяться своим тоненьким смехом.

— Кто тебе сказал, что коллекция должна быть одна? Собери новую. Собери самую большую на свете коллекцию.

Фальшивка вскрикивает от неожиданности.

— Детей? — с ужасом в голосе от своего неожиданного выкрика спрашивает Федор Петрович.

— Новорожденных. Грудных. Беззащитных, — говорит мисс Совершенство и вновь заливается смехом.

Фальшивка хватает хохочущую голову и с силой запихивает на полку. От удара парик слетает с головы мисс Совершенство и обнажает неровный шов на макушке. Он закрывает шкафчик на замок.

— Заткнись! Заткнись! Сейчас же! Заткнитесь все!

Федор Петрович выбегает на улицу. Он спешит в лес.

Тропинка ведет в сторону, к автобусной остановке. Он не сворачивает, сходит с нее и бежит прямо. Не разбирая пути, цепляясь за коряги, фальшивка бредет в чащу. В самую глушь.

Он ждет очередного приступа.

Ждет, когда совесть взорвет его голову изнутри. Вот-вот это случится. Вот-вот недоумок Аркадий проснется. И лучше бы ему оказаться подальше в лесу, когда это произойдет. Чтобы проклятый Аркадий не успел отвести его тело в полицию.

На этот раз обмануть наивный голос не получится.

Скорее всего, на этот раз он обратится к настоящему полицейскому и тогда... Федора Петровича ждет настоящий суд, с реальными свидетелями и реальным шансом на пожизненный срок в психушке. Его не пугает расплата, нет. Тюрьма его не страшит. Он переживает, что если его схватят, тогда он не сможет собирать экземпляры для своих совершенных коллекций.

Фальшивка торопится.

Он ушел достаточно далеко и сейчас лезет на высокое дерево. Карабкается в надежде, что когда неловкий Аркадий завладеет его телом, он не удержится и свалится вниз. От падения потеряет сознание и оставит тело в покое.

Руки покрываются ссадинами. Лоб блестит от пота. А фальшивка сидит на вершине высокой елки и ждет.

Весь день Федор Петрович просидел на ветке.

Загорел, изрядно проголодался и устал. К тому же хочется посетить комфортную уборную, с бумагой, раковиной и полотенцем. Надоело справлять нужду с высоты птичьего полета, раскорячившись и ухватившись за дерево.

Солнце садится за горизонт. А совесть все молчит. Аркадий не отзывается, как его ни провоцируй. Надоедливого соседа, назойливого голоса, проклятого «я» больше нет.

— Надо же.

Федор Петрович еще сомневается, но решает спуститься.

Он передвигает руками и ногами. Чертит животом о кору и разговаривает сам с собой.

— Выходит, я все же победил?

— Похоже на то.

— Больше он не появится?

— Думаю, нет.

Фальшивка возвращается к дому.

— Теперь у меня по-настоящему развязаны руки?

— Да!

Фальшивка смеется на весь лес. Радостно кричит «да», «йуху», и эхо повторяет за ним.

Вернувшись домой, Федор Петрович первым делом достает голову мисс Совершенство.

Он поднимает с пола парик и натягивает его на пластиковую болванку. Он берет мисс Совершенство с собой в туалет.

Отворачивает голову девушки лицом от себя, чтобы та не видела, как он испражняется. И сидя на унитазе и кряхтя, начинает беседовать.

— Говоришь, нужно новую коллекцию собрать? — В его звериных глазах вновь поблескивает огонек.

— Да, мой хороший. Отличная идея.

— Говоришь, новорожденных людей надо?

— Ты и сам знаешь, что это лучший выбор.

— Да. Ты права. Как всегда, права.

Фальшивка поднимается с унитаза. Смотрится в зеркало. Одной рукой он вытирает зад, другой поправляет кожу на лице.

— Что думаешь, как должна выглядеть идеальная акушерка?

Мисс Совершенство не отвечает.

— Если она будет такая?

Возле зеркала стоит и вытирает зад добродушная пожилая женщина с добрыми голубыми глазами.

— Что скажешь? — Его голос становится теплым и нежным. — Меня зовут Ефросинья Павловна. Я работаю акушеркой вот уже сорок с лишним лет.

Фальшивка смывает бумагу в унитаз, берет под мышку голову мисс Совершенство и идет к телефону.

Он собирается позвонить в больницу и предложить свою кандидатуру на работу.

Снимает трубку, набирает номер.

— Алло. Здравствуйте. — Он начинает говорить, но передумывает.

Пожилая Ефросинья Павловна вешает трубку.

— Нет. Новая коллекция должна начинаться с покупки нового дома, в новом доме.

Он надевает на себя платье, подводит губы красной помадой, собирает в сумку предметы первой необходимости.

Фальшивка возвращает маску мисс Совершенство на полку к остальным и прощается с манекенами, словно со своими детьми. Обнимает каждого, обещает, что будет помнить.

Закрывает шкафчик на замок.

Вешает ключ рядом на гвоздик.

Останавливается возле изрисованного зеркала, подмигивает отражению старушки и выходит из дома.

Фальшивка идет к остановке.

— Прощайте, — говорит женщина себе под нос, и по ее щеке непонятно от чего стекает слеза.

* * *

Спустя много лет и сменив сотни масок, собрав несколько масштабных законченных коллекций, Федор Петрович идет с отрешенным взглядом по пустынной улице.

Он гладит рукой стену, пробегает пальцами по разрисованной талантливым райтером кирпичной кладке и улыбается.

Он улыбается не изображенной веселой рожице с широкой разноцветной пастью, нет. Он полностью погружен в свои мысли.

У Федора Петровича умиротворенный вид.

Он не переживает, что вот-вот его кто-то арестует. Его не пугает, что сейчас сразу несколько следователей идут по его следу. За столько лет полиции не удалось его схватить, и вряд ли уже когда-нибудь удастся.

Федор Петрович больше не коллекционер.

Его больше не заботят такие глупости. Теперь он не ищет удовольствия в окружающем мире.

Все, что ему нужно, у него уже есть.

Фальшивка сворачивает за угол, цепляет рукой паутину, размазывает ее по бетону и размышляет вслух.

— Свиристель. Каучук. Братефоре.

Он произносит нелогичные, бессвязные слова, которые только в его голове обретают смысл. Глубокий, истинный смысл, понятный только ему самому, с его больной фантазией.

Он вышел за рамки. Покинул пределы трехмерной системы.

В его зверином существе происходит пересчет, переоценка ценностей. Сейчас он видит...

— Камень. Листья. Две трубы.

Он произносит слова и загадочно улыбается.

Он похож на старую ведьму, которая поселилась в дремучем лесу, помешивает большим черпаком котел с супом из мышиных хвостов, добавляет в варево чешую змеи и приговаривает слова таинственного заклинания.

— Арка. Гроб. Кафе. Нефтяник.

Федор Петрович победил совесть.

Убил наконец в себе надоедливое «социальное я», пропитанное ненужными, как ему казалось, жалостью и состраданием.

Окунулся с головой в водоворот четвертого измерения.

Вот только водоворот этот выложен фальшивыми нарисованными игральными картами. Нарисованными небрежно, от руки, на листочках в клеточку. Вырезанными изогнутыми маникюрными ножницами и с неровно оборванными краями.

— Слиток. Кровля. Бенефис.

Он безнаказанно собирал экземпляры. Срезал с людей маски. Дарил им карамельный запах. Но не получал ничего взамен.

Без «я» все его ритуалы, вся пролитая кровь больше не имели никакого смысла.

Весь азарт и все удовольствие, как оказалось, скрывались в его бесконечной борьбе со своей назойливой совестью.

Его жизнь с самого начала была игрой.

С самим собой в прятки.

В этой игре всем дано по сто очков. И нет никого с двумя сотнями. Маски индиго скорее исключения, и там тоже есть жесткие ограничения, но по времени...

Какой-то из масок природа закидывает двадцать очков в ловкость, тридцать в интеллект, остальное, например, в здоровье.

К теме равенства и различиях кирпичей в стене.

Каждый раз, когда фальшивка думает о кирпичах, вспоминает Аркадия. Он скучает по любимой маске.

Можно сознательно перераспределить очки. Часто со временем хочется подкорректировать исходную маску. Хочется, например, добавить в нее силы. Но это, как уже смог убедиться фальшивка, абсолютно зря. Добавляешь в одно, убывает в другом. Нет масок с двумя сотнями. А привычка — она такая. Уровень удовлетворенности падает.

Есть вариант попотеть, изловчиться и хитро перераспределить очки. Закинуть побольше в счастье.

Но здесь поджидает ловушка.

Если переборщить, назад пути не будет. Можно перестараться, забросить больше, чем способен впоследствии исправить, и в результате будешь с отрешенным взглядом бродить по улицам, гладить рукой стены в ожидании весеннего обострения.

Привычка — она такая...

Счастье — оно такое...

Ключ от четвертого измерения не подходит ко всем замкам.

Литературно-художественное издание

ЭГО МАНЬЯКА. ДЕТЕКТИВ-ПСИХОАНАЛИЗ

Барр Александр

ОДНА В ПУСТОЙ КОМНАТЕ

Ответственный редактор *А. Дышев*
Художественный редактор *Ю. Девятова*
Технический редактор *Г. Этманова*
Компьютерная верстка *Е. Беликовой*
Корректор *Н. Королева*

Страна происхождения: Российская Федерация
Шығарылған елі: Ресей Федерациясы

В коллаже на обложке использованы фотографии:
© Subbotina Anna, chaletgirl / Shutterstock.com
Используется по лицензии от Shutterstock.com

ООО «Издательство «Эксмо»
123308, Россия, город Москва, улица Зорге, дом 1, строение 1, этаж 20, каб. 2013.
Тел.: 8 (495) 411-68-86.
Home page: www.eksmo.ru E-mail: info@eksmo.ru
Өндіруші: «ЭКСМО» АҚБ Баспасы,
123308, Ресей, қала Мәскеу, Зорге көшесі, 1 үй, 1 ғимарат, 20 қабат, офис 2013 ж.
Тел.: 8 (495) 411-68-86.
Home page: www.eksmo.ru E-mail: info@eksmo.ru
Тауар белгісі: «Эксмо»
Интернет-магазин : www.book24.ru

Интернет-магазин : www.book24.kz
Интернет-дүкен : www.book24.kz
Импортёр в Республику Казахстан ТОО «РДЦ-Алматы».
Қазақстан Республикасындағы импорттаушы «РДЦ-Алматы» ЖШС.
Дистрибьютор и представитель по приему претензий на продукцию,
в Республике Казахстан: ТОО «РДЦ-Алматы»
Қазақстан Республикасында дистрибьютор және өнім бойынша арыз-талаптарды
қабылдаушының өкілі «РДЦ-Алматы» ЖШС,
Алматы қ., Домбровский көш., 3«а», литер Б, офис 1.
Тел.: 8 (727) 251-59-90/91/92; E-mail: RDC-Almaty@eksmo.kz
Өнімнің жарамдылық мерзімі шектелмеген.
Сертификация туралы ақпарат сайтта: www.eksmo.ru/certification

Сведения о подтверждении соответствия издания согласно законодательству РФ
о техническом регулировании можно получить на сайте Издательства «Эксмо»
www.eksmo.ru/certification
Өндірген мемлекет: Ресей. Сертификация қарастырылмаған

Дата изготовления / Подписано в печать 12.11.2020. Формат 84х108 $^1/_{32}$.
Гарнитура «Newton». Печать офсетная. Усл. печ. л. 15,12.
Тираж 2000 экз. Заказ № 45139.

Отпечатано в соответствии с качеством предоставленных издательством
электронных носителей в АО «Саратовский полиграфкомбинат».
410004, Россия, г. Саратов, ул. Чернышевского, 59. www.sarpk.ru